MINHA VIDA

Coleção Em busca de Deus

A arte de ser feliz – Inácio Larrañaga

A rosa e o fogo – Inácio Larrañaga

Clara, a primeira plantinha de Francisco – Chiara Augusta Lainati

Comunidade, lugar do perdão e da festa – Jean Vanier

Cristo minha vida – Clarence J. Enzler

Francisco: o arauto de Deus – Gianluigi Pasquale

José, o pai do Filho de Deus – André Doze

Mostra-me o teu rosto – Inácio Larrañaga

O irmão de Assis – Inácio Larrañaga

O silêncio de Maria – Inácio Larrañaga

Padre Pio: um santo entre nós – Renzo Allegri

Suba comigo – Inácio Larrañaga

Clarence J. Enzler

Cristo
MINHA VIDA

Paulinas

Dados Internacionais de Catalogação na Publicação (CIP)
(Câmara Brasileira do Livro, SP, Brasil)

Enzler, Clarence J.
 Cristo minha vida / Clarence J. Enzler ; [tradução Wilson de Andrade].
– 43. ed. – São Paulo : Paulinas, 2010. – (Coleção em busca de Deus)

Título original: My other self.
ISBN 978-85-356-2277-5

1. Jesus Cristo – Meditações I. Título.

10-06915   CDD-232

Índice para catálogo sistemático:
1. Jesus Cristo : Meditações : Cristianismo 232

46ª edição – 2011
5ª reimpressão – 2024

Título original da obra: *My other self*
© John J. Enzler

Direção-geral: Flávia Reginatto
Editora responsável: Andréia Schweitzer
Tradução: Wilson de Andrade
Coordenação de revisão: Marina Mendonça
Revisão: Leonilda Menossi
Direção de arte: Irma Cipriani
Assistente de arte: Sandra Braga
Gerente de produção: Felício Calegaro Neto
Projeto gráfico e capa: Telma Custódio

Nenhuma parte desta obra poderá ser reproduzida ou transmitida por qualquer forma e/ou quaisquer meios (eletrônico ou mecânico, incluindo fotocópia e gravação) ou arquivada em qualquer sistema ou banco de dados sem permissão escrita da Editora. Direitos reservados.

Cadastre-se e receba nossas informações
paulinas.com.br
Telemarketing e SAC: 0800-7010081

Paulinas
Rua Dona Inácia Uchoa, 62
04110-020 – São Paulo – SP (Brasil)
📞 (11) 2125-3500
✉ editora@paulinas.com.br

© Pia Sociedade Filhas de São Paulo – São Paulo, 1968

PREFÁCIO

O estilo deste livro é um tanto fora do comum. Por isso, algumas observações a respeito de seu conteúdo podem ser úteis.

Adotei, de certo modo, a apresentação seguida pelo autor da *Imitação de Cristo*. Assim, o leitor terá a impressão de ler as palavras do próprio Cristo, em uma espécie de diálogo ou colóquio íntimo, procurando fazê-lo entender o que significa ser cristão, "outro Cristo", "outra pessoa" de Cristo.

Minha finalidade é desenvolver, na medida do possível, o significado da união com Nosso Senhor e tudo aquilo que esta união implica, tanto para o indivíduo como para a sociedade.

Procurei mostrar que o momento "presente" é o momento de Cristo, o tempo de cada indivíduo identificar-se com o Senhor e agir como Cristo.

Se este livro atingir essa meta, ainda que em grau reduzido, darei por bem empregados os meus esforços e por alcançada a minha finalidade.

O autor

Ó onipotente, onisciente e amorosíssima Trindade,
a cuja honra e glória dedico este trabalho,
concedei que ele chegue às mãos daqueles que,
desejando amar-vos com mais ardor,
se utilizarão dele com mais proveito.
Ensinai-lhes – a todos e cada um – a maneira
mais apta de utilizá-lo para vos servir melhor
e vos amar com mais intensidade.

ORAÇÃO SACERDOTAL DE JESUS

"Jesus elevou os olhos ao céu e disse: 'Pai, chegou a hora. Glorifica teu Filho, para que teu Filho te glorifique, assim como deste a ele poder sobre todos, a fim de que dê a vida eterna a todos os que lhe deste. Esta é a vida eterna: que conheçam a ti, o Deus único e verdadeiro, e a Jesus Cristo, aquele que enviaste. Eu te glorifiquei na terra, realizando a obra que me deste para fazer. E agora, Pai, glorifica-me junto de ti mesmo, com a glória que eu tinha junto de ti antes que o mundo existisse.

Manifestei o teu nome aos homens que, do mundo, me deste. Eles eram teus e tu os deste a mim; e eles guardaram a tua palavra. Agora, eles sabem que tudo quanto me deste vem de ti, porque eu lhes dei as palavras que tu me deste, e eles as acolheram; e reconheceram verdadeiramente que eu saí de junto de ti e creram que tu me enviaste.

Eu rogo por eles. Não te rogo pelo mundo, mas por aqueles que me deste, porque são teus. Tudo o que é meu é teu, e tudo o que é teu é meu. E eu sou glorificado neles. Eu já não estou no mundo; mas eles estão no mundo, enquanto eu vou para junto de ti.

Eu lhes dei a tua palavra, mas o mundo os odiou, porque eles não são do mundo, como eu não sou do mundo.

Eu não rogo que os tires do mundo, mas que os guardes do maligno. Eles não são do mundo, como eu não sou do mundo. Consagra-os pela verdade: a tua palavra é a verdade. Assim como tu me enviaste ao mundo, eu também os enviei ao mundo. Eu me consagro por eles, a fim de que também eles sejam consagrados na verdade.

Eu não rogo somente por eles, mas também por aqueles que vão crer em mim pela palavra deles. Que todos sejam um, como tu, Pai, estás em mim, e eu em ti. Que eles estejam em nós, a fim de que o mundo creia que tu me enviaste. Eu lhes dei a glória que tu me deste, para que eles sejam um, como nós somos um: eu neles, e tu em mim, para que sejam perfeitamente unidos, e o mundo conheça que tu me enviaste e os amaste como amaste a mim.

Pai, quero que estejam comigo aqueles que tu me deste, para que contemplem a minha glória, a glória que tu me deste, porque me amaste antes da criação do mundo.

Pai justo, o mundo não te conheceu, mas eu te conheci e estes conheceram que tu me enviaste. Eu lhes fiz conhecer o teu nome, e o farei conhecer ainda, para que o amor com que me amaste esteja neles, e eu mesmo esteja neles'" (Jo 17,1-11.14-26).

PARTE I

O chamado

1. FINALIDADE DA VIDA

NA PRESENÇA DE CRISTO

> *"Ó Senhor, ó Senhor, quão maravilhoso
> é o teu nome sobre a terra" (cf. Sl 8,2)!*

Meu caro amigo, alegro-me profundamente em ver-te. Estou contigo, quero falar-te e ouvir-te. Estejas certo de que estou realmente presente. Estou em ti. Fecha teus olhos e teus ouvidos a todas as distrações. Retira-te para dentro de ti mesmo, pensa os meus pensamentos, fica a sós comigo.

Não tenhas receio. Eu sou o teu Deus, o teu rei de infinita majestade, de poder infinito. Mas sou também humano, como tu.

Sou o teu Salvador. Estás notando como me dirijo a ti? Chamo-te de meu amigo. Quando falo contigo, não te dou o nome de "criatura", de "servo", mas de "amigo". Sim, e até mais que isso, tu és meu irmão, minha irmã, minha mãe. Todo aquele que faz a vontade de meu Pai que está no céu, é meu irmão, minha irmã e minha mãe.

Alegro-me que desejes vigiar um pouco comigo, confiar em mim e permitir-me confiar em ti.

Já pensaste no que eu te teria dito, se tivesses estado a meu lado como Pedro, João, Maria, Marta, e como todos aqueles com os quais estive em contato durante a minha vida terrena?

Pensas que eles foram especialmente favorecidos porque viveram naquele tempo, porque me viram, porque me ouviram, porque me tocaram?

Sim, eles foram favorecidos. Mas tu também o és. É melhor para ti viver agora do que em qualquer outro tempo da história. Não achas que esta é a minha hora do mesmo modo que há vinte séculos o foi? Vejo-te com a mesma clareza com que os via. Amo-te como os amei. Falo contigo como falava com eles. O que são os teus bons princípios, senão a minha graça e a influência do Espírito Santo?

Mas talvez estarás dizendo para ti mesmo: "Eles vos viram face a face!". O que foi que meus discípulos viram? Viram um homem. Um homem que operava milagres, mas apenas um homem. Alguns meses depois eles me conheceram "como aquele que há de vir" – o Messias, e como "aquele que é" – Deus. E quando eles chegaram finalmente a me conhecer, não o foi por seus olhos corporais, mas pela fé. E não poderia ter sido de outro modo. Nenhum mortal pode ver a Deus face a face e continuar vivendo neste mundo.

É exatamente como tu me conheces hoje: pela fé. És, portanto, feliz e três vezes feliz.

Feliz porque me vês com olhos mais seguros do que os olhos de tua natureza humana: com os olhos da fé. Feliz, porque falas comigo com palavras que são mais fáceis de ser entendidas do que as palavras de tua boca: a prece de teu coração. Sim, és feliz, meu amigo, porque podes associar-te intimamente a mim mais do que meus seguidores mais íntimos, antes da última ceia.

Pedro e André, Tiago e João e até minha própria mãe, durante muitos anos de suas vidas, não gozaram do maravilhoso privilégio que te espera todos os dias. Nunca, durante aqueles muitos meses antes da última ceia, eu me uni com eles tão intimamente como eu me uno contigo na Santa Comunhão. Tu já tiveste mais momentos de união íntima comigo em meu sacramento, do que alguns de meus discípulos mais caros em toda a sua vida.

Se me permitires, virei a ti diariamente, no sacramento do amor. Virei como um homem. E virei como Deus, trazendo a Trindade para tua vida. Não estou longe de ti. Tu é que estás longe de mim.

Adão e Eva quiseram ser como Deus, e não o puderam. Mas tu, apesar de toda a tua indignidade, podes ser "como Deus", diariamente, na Santa Comunhão. Eu entro em ti, vivo em ti, transformo-te. E quando meu Pai olha para ti, ele já não vê a ti, mas vê a mim, seu Filho unigênito.

Realmente és favorecido de modo especial, muito mais do que podes pensar. Pensa quantos há no mundo que nem sequer conhecem o meu nome!

Por que és tão abençoado e eles não? Por que quero que sejas íntimo a mim? Por que te destinei desde toda a eternidade para esta hora feliz comigo?

Por que te procurei, te chamei, te ajudei todos os dias de tua vida aproximando-te de mim?

É porque meu amor por ti ultrapassa o entendimento humano. Queres saber como agradecer a teu Deus? Faze de tua alma uma verdadeira morada para Deus e, desta morada, oferece por mim e comigo louvor e ação de graças à Santíssima Trindade.

Pensa nisto agora. Pensa nisto frequentemente. Pensa nisto calma e tranquilamente, e dá-me o teu coração, tua mente, tua vontade.

Dize a meu Pai: "Agradeço-vos, Senhor, com tudo o que eu sou. Contemplarei todos os vossos maravilhosos atos. Alegrar-me-ei, rejubilarei e cantarei louvores ao vosso santo nome".

CRISTO, FONTE DE FELICIDADE

"Felizes os que procedem com retidão, os que caminham na lei do Senhor" (Sl 118,1-2).

Meu caro amigo, meu maior desejo é que sejas feliz. Seria mais difícil para mim não querer que sejas feliz, do que não quereres comer quando sentes fome.

Eu não sou bom apenas como uma criatura é boa. Eu sou a bondade. A bondade é a minha natureza. Tu não podes compreender isso inteiramente. Peço, porém, que creias nisto.

Crê que eu sou a própria bondade. Crê que eu desejo a tua felicidade muito mais do que tu a desejas. Crê que eu posso e quero dar-te a felicidade.

Eu te criei à minha própria imagem e semelhança, capaz de participar de minha própria vida divina, e destinado a esta mesma vida. Dá-me, aqui, neste mundo, tua boa vontade e tua felicidade. E quando alcançares teu destino eterno, tua alegria será tal que nunca poderás imaginar.

Não deixes de fazer o que te tornará feliz.

Milhões de pessoas rejeitam-me. Adão e Eva, ansiosos de fazer o que lhes aprazia, perderam o paraíso. O povo eleito do Antigo Testamento, instruído pelos profetas e pelo meu próprio Pai, recusou-se a andar nos seus caminhos. Mataram os profetas. Adoraram ídolos e falsos deuses.

Entregaram-se à luxúria no deserto. E de tal modo a ira do Senhor se acendeu contra os judeus, que os entregou às mãos das nações que os oprimiram e os humilharam. Eu vim ao mundo para participar da tua humanidade. Em minha vida mostrei-te o caminho da felicidade.

Apesar de eu constantemente ensinar aos seres humanos a paz e a alegria por meio de minha Igreja, muitos fecham os ouvidos. Procuram a alegria e a felicidade nas vaidades e nos prazeres. Mas a felicidade que eles buscam no pecado reduz-se a cinzas em suas mãos.

Ouve-me. Volta-te para mim, dá-me a tua mente, o teu coração, a tua alma. Eu não esconderei a verdade de ti. Tu desejas a felicidade. Eu te ensinarei o caminho da felicidade.

Feliz é aquele que não segue os conselhos dos maus, que não anda em pecado, que não insulta o Criador com uma estulta arrogância.

Feliz é aquele que estende a mão aos necessitados e pobres.

Feliz é aquele que, irrepreensivelmente, segue os meus caminhos, guarda a minha lei de dia e de noite, me procura com todo o coração.

Feliz é aquele que se refugia em mim. Eu serei a sua defesa, eu o animarei, eu o protegerei contra todo perigo. Não temerá nenhum mal mesmo que milhares de inimigos se enfileirem contra ele, de todos os lados. Terá grande paz. Para ele não haverá pedra de escândalo.

Eu te digo: serás feliz se temeres o teu Senhor e caminhares confiantemente nos seus caminhos.

Sim, eu quero a tua felicidade. Acredita: não desejo outra coisa para ti a não ser a paz e a alegria.

Dei-te a minha própria felicidade, minha própria alegria, minha própria paz. Quero que sejas um pacificador, um criador de alegria e felicidade para todos os que te rodeiam. Encarreguei-te de ajudar-me a reconciliar o mundo comigo, de levar a paz, a minha paz, à terra.

Desejo o teu amor. E o fruto do amor não é depressão, mas felicidade, entusiasmo, alegria! O que tens a temer? Vive alegremente! Vive com felicidade! Vive com entusiasmo! Tua alegria é que Deus existe, governando tudo, interessando-se por tudo.

Não atrairás para mim as pessoas que amo tanto, sendo mal-humorado, triste, pessimista. Eu não disse: "Quando jejuardes, não fiqueis de rosto triste como os hipócritas. Eles desfiguram o rosto, para figurar aos outros que estão jejuando" (Mt 6,16)? E não disse: "Vinde a mim... e eu vos darei descanso" (Mt 11,28)?

Sinto que muitos me julgam um Deus severo e rígido, que se satisfaz com o espetáculo de uma pobre criatura humana enxugando a fronte borbulhante de suor e perguntando ansiosamente a si mesmo: "Será possível que eu me salve?".

Terei dado a minha vida para atormentá-lo? Para torná-lo infeliz? Não me comprazo com a tristeza, as trevas, o abatimento, mas com a alegria, a luz, a felicidade. Tranquiliza o teu coração.

Mesmo quando as pessoas te desprezarem e te perseguirem e disserem, falsamente, todo tipo de maldade contra ti, por causa de mim, procura alegrar-te e ficar sereno.

Eu sou a tua luz e a tua salvação. A quem poderás temer? Sou a defesa de tua vida. Quem poderá atemorizar-te? Quero ardentemente a tua felicidade. Posso e vou fazer-te feliz! Alegra-te e rejubila-te em mim. Permanece comigo todos os dias de tua vida, e goza de minha graça e de minha bondade.

CRISTO SANTIFICADOR

"... ficai alegres porque vossos nomes estão escritos nos céus..." (Lc 10,20).

Meu amigo, o segredo da felicidade, neste mundo e no outro, é ser tão santo quanto possível. Santa é uma pessoa que está sempre feliz nesta vida e que o será por toda a eternidade.

A santidade é uma meta que poderás seguramente atingir. Gozar de saúde, possuir riquezas, ser honrado – tudo isso poderá estar fora de teu alcance. Podes, contudo, esperar e confiar que serás santo. Pede a mim a santidade e a receberás.

Confia-te inteiramente a mim, sem reservas. Asseguro-te que será mais fácil ser um santo do que não o ser.

Tu desejas a felicidade. Ela reside na santidade.

Não penses que a santidade consista em duras penitências, em cilícios, em disciplinas sangrentas, em transes e êxtases, em orações prolongadas, em vigílias e jejuns. Todas estas coisas não constituem a essência da santidade. A santidade consiste em uma só coisa: na união da tua vontade com a minha. O único serviço que depende de ti e que podes oferecer-me é fazer minha vontade. O ato de amor que mais me honra é unir tua vontade à minha, é não desejar outra coisa senão o que eu desejo, é querer tudo o que eu quero.

Não é o sacrifício, mas o amor que enternece o meu coração. Mostrar-te-ei como ser santo. Faze como eu. Age como eu. Segue minhas pegadas. Tornei-me homem não para fazer a minha vontade, mas para fazer a vontade daquele que me enviou. Exaltei a glória de meu Pai na terra, cumprindo a missão que ele me confiou. Fiz-me homem no momento e no lugar preciso em que ele quis. Do mesmo modo, confiei a ti uma tarefa: dar frutos, ser minha testemunha. Por esse motivo, vives nesse tempo, nessa nação, nessa comunidade, nessas circunstâncias particulares. Se tivesses a sabedoria de todos os anjos, não poderias ter escolhido um lugar melhor para a tua vida. Vives, aqui, porque aqui é o melhor lugar para viveres.

Segue-me. Produzirás frutos abundantes se viveres em mim e eu em ti. Separado de mim, não produzirás nada. Une tua vontade à minha, porque essa união é a perfeição, a santidade. Na santidade reside a tua felicidade.

Não espero que te tornes santo do dia para a noite. Todavia, se assim o desejares, podes tornar-te perfeito num instante.

Diante de mim, o tempo nada significa. Um dia é um milhão de anos. Não sejas impaciente. Deixa-me moldar-te de acordo com meus desejos. Deixa-me formar em ti a imagem de mim mesmo. Deixa-me ensinar-te à minha própria maneira; deixa-me instruir-te no abc da santidade.

Algumas pessoas, tocadas pelas minhas consolações, querem tudo muito depressa. Quase se matam com penitências e jejuns. Querem pegar mais do que podem carregar. Ansiosas pelo adiantamento espiritual, vivem continuamente comparando o que fazem com "o pouco" que os outros fazem. Querem rezar mais do que todos, gozar de mais influência junto a mim. Avançam um pouco na santidade e se julgam perfeitas. Impedem o seu progresso, às vezes até regridem, porque se recusam a deixar-se moldar por mim, à minha maneira.

Sê diferente, eu te peço.

Não deixes que o orgulho espiritual lance raízes no teu coração. Não tenhas ciúmes dos que parecem mais "favorecidos". Sê paciente. Entrega-te totalmente a mim, para que ajas como me agrada, em todas as coisas, todos os dias de tua vida, e eu te prometo derramar abundantes graças sobre ti. Levar-te-ei a um amor firme, verdadeiro, desinteressado. Tirarei de ti o desejo de consolação, e farei com que fiques contente com tudo o que eu te mandar. Farás penitência por meu amor, mas ficarás sabendo que a penitência em si não é algo tão importante. Milhões de pessoas em todo o mundo passam mais privações em sua vida diária do que tu com todas as tuas penitências, porque milhões têm fome, insegurança, sofrem de doenças incuráveis, vivem em clima de terror e privações sem conta.

Entendas que a santidade não consiste em penitência e sacrifício, e sim na união comigo.

Ficarás sabendo que eu não quero que faças oração quando teus deveres te chamam para um trabalho ativo, e que não quero que trabalhes quando é tempo de oração. Aprenderás que, por ti mesmo, nada és. Tudo de bom que fazes ou pensas procede de mim.

Tua vida, meu caro amigo, é um simples instrumento com o qual eu trabalho. É o reservatório para o qual flui a água da graça. Tudo o que podes fazer é abrir ou fechar a válvula, pela ação de tua vontade.

Embora o que fazes por mim possa parecer pouco, o dom de ti mesmo é de um valor inestimável a meus olhos. Todo o teu desejo deve ser que eu seja servido e amado. Não desejarás ser meu instrumento pessoal para conversões, para pregação, para operar maravilhas. Não quererás fazer mais do que os outros. Desejarás apenas que se faça mais. Ficarás contente em ser o último na casa do meu Pai, se assim for mais promovida a minha glória. Revestir-te-ás com minhas virtudes. Tornar-te-ás comigo uma vítima pela salvação da humanidade. Serás um outro Cristo, se te identificares comigo.

Foi essa união comigo que os grandes santos realizaram. É essa união comigo que escolhi para ti.

2. ABANDONO

CONFIANÇA EM CRISTO

*"A ti, Senhor, elevo a minha alma,
meu Deus, em ti me refugio" (Sl 25[24],1-2).*

Ensinar-te-ei o abc da santidade.

Se quiseres ser santo, abandona-te a mim. Confia em mim. Abandona-te a mim completamente, sem reserva, recebendo com sofreguidão tudo o que eu te enviar, quer te agrade quer não. É um dom que te faço, é parte de meu plano para a tua felicidade. Não é apenas bom; se dele fizeres o uso apropriado, será o melhor.

Procura pensar que eu vejo todos os teus pensamentos e emoções, todas as tuas preocupações e os teus desejos. Eu te conheço muito mais intimamente do que tu mesmo. Eu te conheço não só como és, mas como foste e como serás. E sei tudo isso *agora*. Comigo não há passado nem futuro. Há somente o eterno *agora*.

Achas difícil pensar nestas verdades? Podes compreender que eu me interesse intimamente por ti, assim como por bilhões de homens, mulheres e crianças, do passado, do presente e do futuro?

Não é necessário que compreendas. Basta que creias. Eu olho para ti não só com um conhecimento íntimo, mas com um amor ilimitado. Isso deveria tocar-te profundamente: o meu amor por minhas criaturas, por ti como um indivíduo. Como podes negar-me o teu amor?

Estou perto de ti, olhando-te, guiando-te, protegendo-te. Estou dentro de ti. Estou, em certo sentido, mais perto de ti do que tu mesmo.

Por que, então, não confias em mim? Por que não pensas no meu poder? Criei-te do nada. Tendo-te criado do nada, mantenho-te na existência, recriando-te a cada instante. Existes por um ato continuado de meu amor criador. Se em qualquer momento eu retirasse minha vontade, voltarias ao nada. Simplesmente deixarias de existir. Isso é verdade para toda a criação, a Terra, o Sol, a Lua, todo o universo. É verdade para todos os seres criados: anjos, demônios, santos, pecadores.

Se, pois, eu mantenho a ti e a todas as coisas na existência, por minha vontade, nada pode acontecer sem minha permissão. O Sol não pode brilhar, a Terra girar, um pássaro cantar, uma semente germinar, um relâmpago luzir, uma pedra ser deslocada, sem que eu o permita. Ninguém pode causar-te dano, nenhum sopro de vento poderá agitar um fio de cabelo de tua cabeça sem que eu o consinta.

Não podes mover-te, conversar, ouvir, sentir, ver sem a minha cooperação. Tens a tua vida de mim, e eu devo sustentar essa vida a cada instante. De outra forma, ela deixará de existir. Recebes forças de mim, e devo renová-las a cada instante para que não voltes ao nada.

Por ti mesmo, não podes levantar um dedo, piscar um olho. Teu coração não pode bater e se expandirem os teus pulmões. Não podes ter um único pensamento sem que eu me esforce para isso muito mais do que tu mesmo. Eu tomo muito mais parte nas tuas ações do que a mãe que ampara os primeiros passos do filhinho ou guia a mãozinha da filha pequenina que ensaia traçar as primeiras letras.

Até a tua vontade é um presente meu, e eu a influencio a cada momento com a minha graça.

Sem mim, não podes, literalmente, fazer nada, nem de bem nem de mal. Estou em tudo o que fazes. Tudo o que fazes, só o podes fazer com o meu poder, nele e através dele. Quando pecas, em certo sentido me forças a cooperar no aspecto físico de tua ofensa, porque tua liberdade e força procedem de mim.

Tem confiança em mim. Sabes que Deus é bondade, mas deves meditar mais neste meu atributo. Sou a bondade sem limites. Não há nenhum mal em mim. Não posso fazer nenhum mal. Não posso querer nenhum mal. Tudo o que eu quero deve ser não somente bom, mas o melhor em todos os sentidos. Eu não posso nem mesmo permitir o mal, a não ser para um bem maior.

Uma vez que todos os meus atos procedem de uma bondade e de um poder infinitos, tudo o que faço é igualmente perfeito e igualmente bom. Tudo o que faço é perfeito. Tudo o que te ordeno ou permito que te aconteça, de acordo com as circunstâncias, é o melhor para ti.

Talvez não consigas reconhecer a minha vontade, neste caso particular, como perfeita, exatamente como uma criança não consegue reconhecer a sabedoria de um cirurgião, que está tentando salvar-lhe a vida, ao aplicar-lhe a intervenção médica apropriada, embora muito dolorosa. Contudo, para aqueles que me amam, todas as coisas concorrem para o seu bem. Deve ser assim e não pode ser de outro modo.

Este é o meu poder. Pensa nisto, reflete e medita sobre isto. Vê como é uma loucura não confiar em mim. Vê como é uma temeridade resistir à minha vontade, quando ninguém pode alterar os meus decretos. Eu sou o teu refúgio e a tua força. Abandona-te a mim.

MOTIVOS DE CONFIANÇA

"Eu te amo com amor de eternidade" (Jr 31,3).

Não duvides de mim, meu amigo. Não te irrites quando a dor te visitar, quando as perdas materiais te causarem prejuízos. Não te aborreças com a doença. Não projetes tua ira contra teus inimigos. Vê tudo isso como meios dos quais me sirvo para trazer-te a mim. Quando um pai impõe ao filho alguma coisa de que ele não gosta, ele o faz por amor. É o que acontece comigo, só que eu ajo com um amor infinitamente perfeito.

Se a oposição e a dor não fossem necessárias ao teu crescimento espiritual, eu nunca permitiria que elas se aproximassem de ti, muito menos que te tocassem. Não te envio, porém, nada que não possas suportar e carregar. Tudo está em conformidade com as tuas forças.

Se te lembrares do meu amor por ti, certamente terás confiança em mim. Antes mesmo que o mundo fosse criado, eu já te amava. Quando ainda não havia Terra, Sol, anjos, eu já sabia que tu irias existir; eu sabia quando nascerias, que lugar terias em meus planos, quantos anos irias viver, que pensamentos irias ter e que orações irias fazer. Eu te amava! Nunca houve tempo em que eu não te amasse. O fato de haver-te criado é a expressão de meu amor eterno e infinito, como o beijo que dás é a expressão de teu amor sem limites.

Uma vez que eu sou onipotente, infinitamente bom, e uma vez que eu te amo muito mais do que amas a ti mesmo, não tenhas receio de abandonar-te inteiramente a mim. Eu te ensinarei tudo o que deves saber e estarei ao teu lado assistindo-te em tudo o que deves fazer.

Haverá alguma coisa que eu não tenha feito e que eu possa fazer para ganhar tua confiança plena e total? Diz e eu o farei. Não te esqueças de que eu morri por ti.

Põe toda a tua confiança em mim, e tudo o que te acontecer guiará os teus passos no caminho da felicidade, da santidade. Sob os meus cuidados cheios de amor, nada poderá causar-te mal algum. Tudo o que te suceder segundo a minha vontade é tão bom que os próprios anjos do céu não poderiam conceber nada melhor.

Apega-te a mim com todo o teu coração, com toda a tua vontade, e eu farei de ti um santo. Nada te separará de meu amor. Nem a morte nem a vida, nem os anjos nem os demônios, nem os acontecimentos presentes nem os futuros. Nenhuma força, nenhuma criatura no céu ou no inferno poderá separar o meu amor de ti, se fizeres a minha vontade.

Confia em mim. Eu sempre te protegerei. Procura minha vontade em todas as coisas. O teu maior bem é que a minha vontade seja feita.

Se generosamente renunciares à tua própria vontade para procurar somente o meu beneplácito, meu sagrado coração iluminar-te-á com uma luz vívida e penetrante, para que conheças todas as minhas vontades. Eu te mostrarei o que deverás fazer e agirei dentro de ti para que o realizes. Deixarei que repouses sobre o meu coração.

Pede-me não que a tua vontade seja feita, mas que a minha seja realizada em ti. Se eu te oferecesse alegria em uma mão e sofrimento na outra, sabe o que eu gostaria que me dissesses? "Senhor, eu não escolho nem uma nem outra. Seja feita a vossa santa vontade." E se abandonasses toda a tua vontade à minha, eu derramaria na tua alma toda a alegria e toda a doçura do meu divino coração.

Esta é a minha promessa, a minha palavra que permanece para sempre, firme como o céu.

Confia em mim! Dá-me todo o teu ser – teu corpo e todas as tuas atividades.

Confia em mim! Dá-me a tua alma e todas as tuas faculdades.

Confia em mim! Dá-me tudo o que possuis, tudo o que és e serás, tudo o que fazes e farás.

Confia em mim! Dá-me a ti mesmo, sem esperar recompensa, como eu me dei a mim mesmo a meu Pai.

Confia em mim! Dá-me a ti mesmo, continuamente e para sempre. Renova frequentemente teu abandono à minha vontade. Renova-o pela manhã ao levantar, quando me receberes na Sagrada Comunhão, quando estiveres à mesa para as refeições, quando estiveres descansando, quando fores dormir... e renova-o sobretudo antes de tomares decisões e quando estiveres em meio a provações.

Confia em mim! Dirige a mim as palavras de Davi: "Em Deus, cuja promessa eu louvo, em Deus confio, não temerei: o que um homem me pode fazer?" (Sl 56[55],5). "Ó minha força, a ti quero cantar porque és tu, ó Deus, minha defesa, o meu Deus de misericórdia" (Sl 59[58],18).

E eu, por minha vez, dir-te-ei o que disse aos meus discípulos: "Não se perturbe o vosso coração!" (Jo 14,1). "O que pedirdes em meu nome, eu o farei" (Jo 14,13). "Não vos deixarei órfãos" (Jo 14,18). "Deixo-vos a paz, dou-vos a minha paz" (Jo 14,27). "Como meu Pai me ama, assim também eu vos amo" (Jo 15,9).

INFÂNCIA ESPIRITUAL

"O Senhor protege os simples"
(Sl 116[114],6).

A vida de confiança que quero que leves é uma vida calma, doce, serena, de uma criança nos braços de seu pai. Uma vida isenta de temores, de cuidados, de preocupações e, em certo sentido, isenta de desejos.

Que a tua alma seja como a de Davi, quando cantou: "Como criança desmamada no colo da mãe, como criança desmamada é minha alma. [...] espere no Senhor desde agora e para sempre" (Sl 131[130],2-3).

Que mãe, olhando carinhosamente para a criança que tem nos braços, poderia desejar-lhe algum mal? Contudo, o amor de uma mãe não é nada em comparação com meu amor por ti.

Morri de boa vontade por ti, séculos antes de seres concebido no seio de tua mãe. E morreria por ti novamente, tantas vezes quantas fossem necessárias se, morrendo, eu pudesse conquistar o teu amor e conseguir a tua salvação.

Confia em mim, como uma criança confia em sua mãe, certo de que eu só poderia desejar-te o bem. Se tua confiança em mim for ilimitada, viverás em paz.

Eu disse: "Quem não receber o Reino de Deus como uma criança não entrará nele" (Lc 18,17). Como uma criança recebe o "reino" de seu pai – seu regulamento, sua autoridade, seu amor –, assim deves aceitar o Reino de Deus.

Já pensaste por que é que eu elogiei tanto as crianças? A criança gosta de estar com seus pais. Quando percebe que eles estão de saída, ela diz: "Leva-me também". Assim deverias gostar de estar comigo, de falar comigo, de pensar em mim, onde quer que estejas e em qualquer atividade que realizes. Eu jamais te abandono, mesmo quando tu te descuidas de mim, me ignoras, me afastas de ti pelo pecado mortal.

A criança entrega-se a seus pais com ilimitada confiança no seu amor e na sua força. Quando quer um pedaço de pão ou um pouco de leite, ela pede, certa de que o conseguirá. Assim tu também deverias pedir-me, com a maior confiança, tudo o de que precisas. Pais amorosos dão a seus filhos o que têm de melhor. Eu também te dou o melhor que possuo.

A criança não tem medo quando seus pais estão por perto. Quando ela desperta, à noite, dirige-se com toda segurança para a cama de seus pais. Assim tu, em todas as dificuldades deverias voltar-te para mim, sem temor, certo de que eu estou sempre contigo.

A criança gosta de estar no colo de seus pais, para ouvir histórias e para brincar com eles. Tudo o que fazem é uma delícia para ela. Tua atitude para com Deus deveria ser assim. Tudo o que eu faço, tudo o que eu te ordeno, deveria ser alegria para ti.

A criança sabe que a ordem de seus pais deve ser obedecida. Da mesma forma, minha palavra e a de minha Igreja são leis e devem ser obedecidas.

A criança considera seu pai e sua mãe como o rei e a rainha do lar. Tu, também, deverias considerar teu Deus como o rei e o Pai de todo o universo, e minha Mãe Imaculada, como a rainha.

Começas a compreender por que é que eu disse: "Quem não receber o Reino de Deus como uma criança não entrará nele?".

O único bem pessoal que tens é tua vontade. Quero o dom de ti mesmo, livre, total, sem restrições. Assim procede a criança com seus pais. Um adolescente ansioso de independência já quer exercitar sua própria vontade. Isto é natural nele. Não quero, porém, que o imites. A criança é teu modelo, porque aceita totalmente a vontade de seus pais. Não a entende de forma total, porém não questiona, porque confia neles.

Eu também gostaria muito mais se meus filhos *compreendessem* menos e, mais ainda, se *questionassem* menos.

Aproxima-te de mim como uma criança se aproxima de seu pai e de sua mãe. Estás doente, faminto, sedento, perturbado ou ferido? Dize-me tudo, como o dirias a teu pai ou a tua mãe, se fosses uma criança. Tua confiança em mim é um dever para ti.

Porventura não confiei tanto nos seres humanos a ponto de me fazer um deles? Não podes proceder de outra forma. Deves entregar-te a mim, teu Deus, agora, para sempre e totalmente.

Meu Pai confiou seu Filho muito amado à humanidade. Não deveriam, então, os pais confiar seus filhos e filhas a mim e ao meu amor?

Vinde a mim todos vós que estais sobrecarregados; eu vos aliviarei.

Confia no meu amor onipotente e misericordioso. Quanto maiores forem tuas necessidades, tuas mágoas e perturbações, tanto mais deverias invocar-me, dizendo: "Senhor, tua vontade seja feita. Seja feita a tua santa vontade!".

CRISTO NOS AJUDA

"Eu, eu mesmo sou o vosso consolador!"
(Is 51,12).

A maior força de uma criança é a sua própria fraqueza, pois, justamente por ser fraca e indefesa, seus pais lhe proporcionam todo carinho e proteção. Tua maior força também deve ser tua fraqueza. Quanto mais desconfiares de ti mesmo e confiares em mim, tanto mais eu te auxiliarei. Quanto mais compreenderes que não és nada, tanto mais receberás de mim, que sou tudo. Tuas necessidades são a medida de meu auxílio. Não desanimes por causa dos teus fracassos, antes, usa-os para te unires mais a mim.

Alguns dizem: "Não nasci para ser santo. Jamais me santificarei!". Que loucura! Há porventura limites ao meu poder ou à minha misericórdia? Acaso eu não conheço a tua fraqueza? Eu, que fiz teus olhos, não te reconhecerei? Eu, que fiz os teus ouvidos, não ouvirei a tua voz?

Tuas imperfeições não me magoam. Quanto mais lutares contra elas, por minha causa, mais te tornarás querido a mim. O que me magoa é tua falta de confiança em mim. Esforça-te por fazer minha vontade, com alegria e serenidade. Evita as quedas com todo o cuidado, mas jamais desanimes. Não importa quantas vezes tenhas caído ou onde tenhas chegado. Confia sempre em meu amor.

Quando vens a mim com uma confiança infantil, não consigo recusar-te nada. Se um pai logo perdoa e esquece a falta, a negligência e a imprudência de seu filho, muito mais rapidamente eu esqueço e perdoo as tuas quedas e falhas. Pensa em mim, olha para mim, oferece-me algo de ti mesmo, e tudo ficará bem. Confessa, arrependido, os teus piores pecados, e tua alma se tornará branca como a neve.

Sê como a criança que, tendo cometido uma falta e vendo-se logo perdoada, corre para os braços de seus pais, alegre, despreocupada, esquecida do que aconteceu. Proceder assim não é somente um segredo da vida espiritual, mas também sinal de progresso.

Não penses tanto em ti mesmo. Deixa teu passado desaparecer. Não te entristeças porque sentiste raiva. Tua falta mostra somente que ainda não és como querias ser. Se às vezes eu me afasto um pouco de ti, se permito que fiques sozinho, que caias, isto é para te mostrar tua fraqueza e o quanto dependes de mim. Pedro caiu, negou-me três vezes, porque confiou em si mesmo e não em mim.

Os pais dedicados ficam atentos ao proceder de seus filhos e os protegem contra toda sorte de perigos. Eu também estou perto de ti. Minha mão estende-se para te proteger contra os males que possam ameaçar-te. Milhares de vezes ao dia eu suavizo teu caminho e minha graça te fortalece. Ilumino tua inteligência para que possas seguir teu caminho, como um pai que, de noite, ilumina os passos de seu filhinho.

Eu te conheço muito bem. Teu modo de ser me é muito familiar. Não dizes uma palavra que eu não conheça desde toda a eternidade. Eu criei o teu ser mais íntimo; formei-te no seio de tua mãe. Onde podes estar, se não em minha presença? Se tivesses as asas da luz da manhã, se fosses ao mais profundo do mar, mesmo lá minha mão te acompanharia. Se disseres: "A escuridão me cega, estou mergulhado na mais profunda noite", fica sabendo que para mim não há escuridão nem noite, que para mim a noite é como o dia e a escuridão é como a luz.

Estás sempre em minha presença. Eu te amo. Então, confia em mim como uma criança. Na medida em que confiares, nesta mesma medida receberás de mim. Jamais temas pedir demasiado para mim. Esse tipo de humildade é falso, porque é falta de confiança. Eu diria a ti o que disse aos meus apóstolos: "Por que sois tão medrosos? Ainda não tendes fé?" (Mc 4,40).

SANTIFICA CADA MOMENTO

"Fiel é o Senhor em suas palavras, santo em todas as suas obras" (Sl 145[144],13).

O abandono à minha vontade divina e a prática da infância espiritual são fontes imensas de graças e de vida divina para ti.

Sabes que eu pensei e conheço todos os pormenores de tua vida? Cada momento de tua vida, cada situação ou ação tua (exceto, é claro, o pecado) são meios de enriquecimento divino para a tua pessoa.

Cada momento é, em certo sentido, um "sacramento". Não como os sete sacramentos, sinais particulares instituídos por mim para conferir a graça, mas no sentido de que tudo o que te acontece, cada momento de tua vida (exceto o pecado), pode ser considerado como um "sinal" dado ou permitido por mim para te conferir mais vida divina, se dele tirares proveito. É um meio de te unires mais intimamente a mim.

Tens uma dor de cabeça, um resfriado, um aborrecimento? Estás cansado, preocupado, triste? O tempo está muito quente, muito frio, muito úmido ou muito seco? Teu trabalho está difícil, está se tornando cansativo e não vês resultado? Tudo é sinal de minha providência e, nesse sentido, "sacramento".

Mas não somente as tristezas, as dores e dificuldades da vida devem ser consideradas por ti como sacramento do momento. Tuas alegrias são também fontes de graça. Teu sorriso quando ouves uma palavra espirituosa, tua satisfação quando assistes a um bom filme ou a um jogo, o prazer que experimentas ao saborear bons pratos – tudo são fontes de vida divina para ti. Aceita-os, *deseja-os* como vindos de minhas mãos, como sendo parcelas de meu pensamento onisciente por tua felicidade eterna. Agrada-me quando te deleitas com os meus dons.

Repete frequentemente para ti mesmo estes pensamentos: "O Senhor me concede este momento para que eu mostre meu amor e me una mais a ele. Este é um ótimo momento de servir ao meu Criador. Esta provação/este atraso/esta repreensão é permitido/a pelo Senhor para me fortalecer e me unir mais a ele. Este filme/este jogo/este programa é para repousar meu espírito, para me dar alegria. São sacramentos do momento presente, são dons de Deus. Usando-os bem, a graça de Deus crescerá em mim".

Eu te ajudarei para que tenhas tais pensamentos. Eu te auxiliarei a fazer bem o que deves, e sem preocupações inúteis. Eu te ajudarei a dizer-me: "Senhor, aceito este momento, bem como todas as suas menores circunstâncias, porque é tua vontade".

Lembras-te daquelas minhas palavras: "A verdade vos libertará"? Pois esta é uma grande verdade: *cada momento é um sacramento*, quando unes tua vontade à minha.

A união de tua vontade à minha tornar-te-á livre. A desunião tornar-te-á escravo.

Une tua vontade à minha e nada te perturbará. Uma observação tua, que talvez tenha ofendido o vizinho, o que os outros pensam de ti, tua situação financeira, o sucesso ou o fracasso no trabalho, a garantia de tua posição, tua saúde, a política do governo, nem mesmo teu pouco progresso na vida espiritual: nada disso te perturbará. Se não quiseres ser o dono do universo, se não quiseres conhecer o que o futuro te reserva, mas o deixares em minhas mãos, se te preocupares apenas em fazer alegremente minha vontade *em cada momento*, porque confias no Criador de tudo, que é Todo-Poderoso, todo-bondade, todo-amor, então te sentirás livre, porque possuirás a verdade.

Não percas estes sacramentos do momento presente. Ordena tua vida de acordo com a minha vontade, assim como o bom músico, numa orquestra, acompanha todos os movimentos do maestro. Segue meu ritmo, meus movimentos, minha direção. Olha para mim como o bom músico olha para seu maestro. E para conheceres ainda melhor minha vontade, volta-te para mim frequentemente, com teu pensamento, tua oração, tua atenção.

Dize-me:

Agora e em todos os instantes, confio em ti, Senhor, porque és Todo-Poderoso.

Agora e em todos os instantes, confio em ti, Senhor, porque és a mesma bondade.

Agora e em todos os instantes, confio em ti, porque vives em mim e eu vivo em ti.

Agora e em todos os instantes, confio em ti, porque és meu irmão e deste a vida por mim.

Agora e em todos os instantes, confio em ti, porque teu Pai é meu Pai também.

Agora e em todos os instantes, confio em ti, porque tua Mãe é também minha mãe.

Agora e em todos os instantes, confio em ti, porque te entregaste a mim e eu não devo fazer menos por ti.

Agora e em todos os instantes, confio em ti, porque tu me amas e eu devo amar-te também.

Agora e em todos os instantes, confio em ti, porque queres dar a mim mais do que desejo receber.

Agora e em todos os momentos, confio em ti, e jamais hesitarei, porque a hesitação seria sinal de que estava duvidando de ti.

Agora e em todos os momentos, confio em ti, não porque eu seja bom, mas porque tu és perfeito.

Agora e em todos os momentos, confio em ti, não porque eu seja forte, mas porque tu és onipotente.

Meu Deus, desejo este momento com todas as circunstâncias que vão constituí-lo. É tua vontade e é minha vontade também. Neste momento, quero somente aquilo que nele me está reservado. Nem mais nem menos. Em tua infinita sabedoria me viste chegar a este momento de minha existência, com forças e com fraquezas. Agradeço-te por minhas forças e louvo-te por minhas fraquezas. Tu me deste qualidades na melhor medida para mim. Permitiste também que minhas fraquezas estivessem de acordo com teus planos eternos a meu respeito. Quero tudo porque tudo é tua vontade.

Neste momento, não quero ser mais forte do que sou realmente. Minhas fraquezas louvam tua glória. Se por causa delas eu vier a cair no futuro, permite que eu aprenda a humildade. Se eu me tornar miserável, permite que te ofereça minha miséria e glorificarei tua justiça. Se meus erros atraírem castigos sobre mim, estes também serão para a tua glória, porque o mal deve ser castigado.

Meu Deus, protege-me, eu te peço. Tu és minha força e eu te louvarei. És minha defesa, ó minha misericórdia, ó meu Deus!

3. SÊ AQUELE QUE DESEJO QUE SEJAS

ACEITA TUA POSIÇÃO NA VIDA

*"Ninguém pode receber coisa alguma,
se não lhe for dada do céu" (Jo 3,27).*

Se observares fielmente o primeiro de meus conselhos para chegares à santidade e conseguires tua felicidade – *completo abandono à minha vontade* –, eu te levarei a observar o segundo: *ser aquele que desejo que sejas.*

Há pessoas que pensam que seriam felizes se tivessem dinheiro, se fossem muito conhecidas, se tivessem grandes capacidades ou gozassem de grande fama. Pensas assim também? Pensas que esses "dons" seriam bons para ti? Julgas saber o que seria melhor para ti? Conheces tuas necessidades tão bem quanto eu?

Para seres aquele que desejo que sejas, é necessário, em primeiro lugar, que aceites teu atual estado de vida, tua personalidade em todas as circunstâncias, com alegria e despreocupação. Não é difícil encontrar minha vontade nos dez mandamentos, nos mandamentos de minha Igreja ou mesmo na vontade daqueles que são teus superiores, na ordem civil e econômica. Mas, às vezes, será difícil para ti ver minha vontade naquilo que te acontece, por minha permissão. Contudo, sabes que desejo somente tua felicidade. Eu tracei o caminho de tua felicidade. Portanto, o que tens é o melhor para ti.

Não penses jamais que eu ignore o rumo dos acontecimentos. O caminho da santidade não é o mesmo para todos. Jamais faças comparação entre o que fazes e o que fizeram uma Teresa, um Francisco de Assis, um Domingos, um Camilo, um Pedro Claver, uma Catarina de Sena, um Cura D'Ars ou um João Bosco. Não te peço para imitares suas ações, agora, de forma alguma. Talvez, mais tarde, eu peça mais de ti. Mas tudo a seu tempo. O que te peço, agora e sempre, é que os tenhas por modelo no amor que tiveram para comigo, que confies em mim, aceitando de bom grado o estado de vida em que te encontras, e que te conformes com ele. Abandona-te à minha vontade, como eles o fizeram. Sê o que eu quero que sejas, como eles o foram, e tornar-te-ás santo como eles se tornaram.

Há pais que, às vezes, se tornam tão interessados por uma obra social ou em ajudar a igreja local (sem mencionar o interesse que já têm pela própria profissão) que vão se afastando do meio familiar, noite após noite, abandonando uma obrigação primária que eu lhes dei, para perseguir um interesse secundário que eles mesmos se impuseram.

Estão cegos! Deveriam servir-me como os santos o fizeram, mas se esquecem que os santos se santificaram servindo-me no trabalho que eu lhes dei.

Por ora, não quero que tenhas fama, riquezas, talentos especiais, a não ser que tudo isso já o tenhas. Por ora, não quero que sejas casado, a não ser que já tenhas contraído núpcias. Não quero que sejas mártir ou que vás trabalhar em hospitais, dando tua saúde a enfermos, que passes noites em oração contemplativa – a não ser que estas coisas já façam parte de tua vida. Poderias porventura agradar-me, se fosses cuidar dos enfermos nos hospitais e deixasses em tua casa o doente ou a criança que eu te dei para cuidares? Poderia, porventura, ficar satisfeito vendo-te sair para servir os velhinhos, quando negligencias aqueles que eu coloquei em tua própria família?

João Bosco tinha de sair pelas ruas e vielas procurando as crianças às quais ensinaria meus caminhos. E hoje, quantos pais se esquecem da obrigação que têm de guiar seus filhos, que são sua própria carne e seu sangue?

Quero, antes de tudo, que os esposos se amem um ao outro e sejam os melhores esposos do mundo. Quero que as mães e os pais eduquem seus filhos com amor e paciência para serem os melhores pais do mundo. Se há pobres que ficam sem auxílio, se há doentes que ficam sem tratamento, se há fiéis que ficam sem a pregação de minha palavra, isto não é falta nem responsabilidade tua, a não ser que estas sejam atividades às quais já te dedicas. Mas se homens, mulheres e crianças veem em ti um comportamento que não é cristão, aí sim, a falta é tua.

Por outro lado, muitos teriam tempo, oportunidade e habilidades para me servirem no próximo e se omitem. Limitam-se a uma espiritualidade pessoal que exclui os outros. Não é uma espiritualidade desse tipo que eu desejo.

Tens capacidades e obrigações que se ajustam a ti, porque te foram dadas por mim. Como as aves foram feitas para voar e os peixes para nadar, assim o ser humano foi criado para amar a Deus e ao seu semelhante. Um será pai, outro será sacerdote; um será mineiro, outro será médico; um poderá servir-me melhor se estudar, outro mesmo ficando sem conhecer muitas coisas.

Lembra-te das palavras de meu apóstolo Paulo: "Temos dons diferentes, segundo a graça que nos foi dada. É o dom de profecia? Profetizemos em proporção com a fé recebida. É o dom do serviço? Prestemos esse serviço. É o dom de ensinar? Dediquemo-nos ao ensino. É o dom de exortar? Exortemos. Quem distribui donativos, faça-o com simplicidade; quem preside, presida com solicitude; quem se dedica a obras de misericórdia, faça-o com alegria" (Rm 12,6-8).

Não percas tempo sonhando com o que farias se fosses "fulano de tal" ou se ocupasses outra posição na vida. Aceita tua situação presente com todas as suas circunstâncias. E não penses que esta aceitação signifique passividade. Se estás doente, aceita-o como sendo minha vontade, nesse momento. Mas não penses que desejo que fiques parado, e que nada faças para recuperar tua saúde: procura os meios convenientes. Se a tua situação atual não é satisfatória, não te queixes: aceita-a. Mas procura e emprega os meios razoáveis para melhorá-la. Ser assim é ser como eu desejo. Procedendo assim, procedes como eu mesmo procederia.

PROCURA AS VIRTUDES DE TUA VOCAÇÃO

"Aprende, pois, onde está o saber viver, onde está o poder, onde a inteligência..." (Br 3,14).

Tens atualmente uma única obrigação: servir-me como eu quero ser servido, na situação em que permiti que te colocasses. Depois desta obrigação máxima, tens naturalmente obrigações secundárias: para contigo mesmo, para com tua família, para com teu superior ou empregador e para com a mesma sociedade. Cumpre com todas estas obrigações. No entanto, não te prendas tanto ao que é menos importante, deixando de lado o que é muito mais.

Para um pai ou mãe, a família é mais importante que o trabalho ou a profissão, que as orações ou devoções particulares. Para uma criança, a obediência antes de tudo. Este é meu plano. Este foi meu exemplo. Quando cheguei aos doze anos – à maioridade, conforme o costume de meu povo –, fui ao Templo e sentei-me no meio dos que ensinavam. Naquela ocasião eu podia ter começado minha vida pública. Conhecendo, porém, a aflição de minha mãe, voltei para Nazaré e lá fiquei, durante 18 anos, "submisso", contente com meu estado de vida.

O que quero que aprendas é que te conformes com tua situação presente e não sonhes com o que seria mais atraente para a tua fantasia.

Cada estado de vida tem suas virtudes particulares. A virtude dos pais é a paciência para lidar com os filhos. A dos esposos, a de se amarem mutuamente. A dos filhos, a obediência. A virtude de um sacerdote é uma, a de uma religiosa, outra; a de um homem de negócios ou a de um médico é outra também. A mesma virtude é praticada de forma diferente em cada estado de vida. Dar aos pobres é caridade num grau muito elevado. Esta mesma caridade, entretanto, proíbe ao pai de família vender os bens que lhe são necessários para convertê-los em esmolas aos pobres. E mais: obriga-o a empregar os meios convenientes e necessários com o fim de garantir o bem-estar dos seus familiares.

Eu peço que rezes. Mas prefiro ver uma dona de casa na cozinha, ou cuidando das crianças, quando é tempo de cozinhar e de cuidar, a vê-la ajoelhada, diante de mim, no Santíssimo Sacramento.

Pensas que olho para ti com desagrado, quando te vejo fazendo aquelas coisas que são de tua obrigação? Estou muito mais unido contigo quando estás ocupado com as tuas obrigações, mesmo que não penses em mim, do que quando estás procurando rezar com toda a tua atenção voltada para mim, mas negligenciando os teus deveres. Teu trabalho, feito por amor e obediência a mim, é uma verdadeira oração. É oração real, é amor em ação.

Entendes, agora, o que quero dizer quando te peço que pratiques as virtudes de teu estado de vida e que não sigas tua imaginação, se queres ser aquilo que eu desejo?

O religioso ou a religiosa tem sua regra de vida. O esposo, a esposa, o pai, a mãe, o solteiro, a criança, todos têm também sua regra: os deveres de seu estado.

Aceita tua situação atual e cumpre tuas obrigações como eu aceitei as minhas e as cumpri, séculos atrás, na Palestina.

Estás acabrunhado pela monotonia? Eu estive também. Aceita a tua situação!

Não te compreendem? Não me compreenderam também. Aceita a tua situação!

Desanimas porque vês teus planos não se realizarem? E não foi desanimador para mim, na véspera de minha morte, ver meus apóstolos discutindo sobre quem deveria ocupar o primeiro lugar? Não terá sido desanimador para mim ver-me rejeitado por aqueles a quem eu vim salvar? Aceita a tua situação!

Ficas decepcionado com aqueles com os quais tens de trabalhar e de viver? E não foi decepcionante para mim, depois de ter escolhido meus doze apóstolos, ver um deles tornar-se primeiro ladrão e depois traidor? Aceita a tua situação!

Sentes que tua vida presente te leva a situações em que a dor parece ser maior do que podes suportar? Compara-a com minha dor, na noite do Getsêmani. Quando o peso dos pecados de toda a humanidade caiu sobre meu coração, entrei em agonia, e meu sangue, arrebentando os poros, escorreu pela minha face e por todo o meu corpo. Aceita a tua situação!

Aceita a tua situação presente. É a melhor para ti, agora. Os filhos que eu dei aos pais e os pais que eu dei aos filhos são os melhores para estes e para aqueles. Estes filhos e aqueles pais, todos fazem parte de meu plano. Este empregador ou superior, este empregado ou subordinado são os melhores, uns para os outros, na presente situação. Amanhã, pode ser diferente. Hoje, eles me servem nesta situação especial.

Sê o que eu desejo que sejas. Aceita tua posição no meu plano. E eu te digo que teus caminhos serão de amor e de fé, porque meus olhos pousam sobre aqueles que me procuram e eu os levarei à alegria.

NO TEU TRABALHO COTIDIANO

> *"Servi a Deus na verdade e fazei diante dele o que lhe agrada" (Tb 14,8).*

Desejo que teus dias sejam cheios daquela alegria e daquela paz que te deixei como herança.

Tua única preocupação deve ser fazer a minha vontade, em cada momento e em todas as circunstâncias. Procede assim, e tudo o mais seguirá meu plano para tua felicidade presente e eterna.

Não fiques demasiadamente preocupado com o sucesso de teu trabalho de cada dia. Não temas o fracasso. Muitas vezes deixas de fazer o que devias, porque temes não seres capaz de o fazer convenientemente.

Pergunta a ti mesmo: "O que Deus quer de mim?". Faze exatamente isto, sem deixá-lo para outra ocasião. Não digo que não te prepares. Sabes perfeitamente a diferença entre preparar-se para alguma coisa e desistir. Lembra-te das palavras de Agostinho: "Deus prometeu o perdão de nossos erros, porém, não prometeu tempo para as nossas desistências".

Não desejes fazer outra coisa a não ser o teu dever, em cada momento. Dize-me: "Senhor, aceito isto agora, porque é tua vontade".

Enfrenta o trabalho que temerias sem o meu amor. Dar-te-ei a graça de te lembrares que não é necessário te angustiares nem te desgastares por causa de um horário. Ensinar-te-ei a sorrir e a viver sereno, a trabalhar com calma e paz, fazendo tanto quanto podes, e a parar também, quando estás cansado.

Não quero que trabalhes tanto a ponto de te esgotares.

Trabalha com atenção e esforço, mas sem ansiedade. Podes ser esforçado e, ao mesmo tempo, tranquilo e sereno. Não podes ter paz nem trabalhar direito, quando empreendes tuas obrigações inquieto e agitado.

Lembras-te de como repreendi Marta, em Betânia, porque ela se preocupava com muitas coisas? Não a repreendi por estar ocupada, por ser diligente, mas por estar preocupada. Portanto, não te perturbes.

Prefiro que faças teu trabalho cotidiano sem agitação febril, antes, até mesmo com certo vagar. Não queiras fazer todas as coisas ao mesmo tempo. Fiz o dia com 24 horas, com tempo para o trabalho e tempo para o repouso, para fazeres o que deves, contanto que ordenes tua vida e procures somente minha vontade.

Presta atenção a estas palavras de um dos meus santos: "Imita as crianças: enquanto com uma mão seguram a do pai, com a outra vão colhendo cerejas ou amoras, ao longo do caminho. Tu, também, enquanto com uma mão te ocupas dos bens deste mundo, com a outra agarra-te ao Pai celeste, voltando-te para ele, de vez em quando, para ver se tuas ações lhe estão agradando... No meio dos negócios e ocupações do dia a dia, que não requerem uma atenção tão séria, deverias olhar mais para o Pai do que para elas. Quando são de tal importância que prendem toda a tua atenção para poderes realizá-las bem, então, de vez em quando, olha para o teu Deus... Assim ele trabalha contigo, em ti e por ti e teu trabalho será seguido de consolações" (São Francisco de Sales).

Mesmo que trabalhes com toda a diligência, nem sempre serás bem sucedido. Nem sempre teus melhores esforços serão reconhecidos por teus companheiros. Não te desencorajes com isto. Oferece-me tua natural decepção. Dize-me que ela é permitida por mim e que tu mesmo não a mudarias, se pudesses. Dize-me que a desejas, assim mesmo. Quando ofereces a mim tuas decepções, sentes algo como quando pões um remédio numa ferida ou num corte. No começo dói, mas depois te sentes melhor.

Realiza plenamente teu dever do momento, por amor de meu Pai, do Espírito Santo e de mim mesmo. Não o faças pela metade, dizendo para ti mesmo que depois ou amanhã o farás com mais perfeição. Faz agora, com toda a perfeição de que és capaz, por amor à Santíssima Trindade. Guiar o carro, dar um passeio, preparar uma refeição, estudar uma lição, receber uma repreensão, participar alegremente de um jogo ou fazer qualquer coisa plenamente, porque tudo isso é minha vontade naquele momento, é o maior louvor que me podes oferecer.

Deitar-te à noite, quando preferias ficar acordado, e fazê-lo porque esta é minha vontade naquele momento, é melhor do que gastares a noite em oração, cansando-te e tornando difícil o teu trabalho no dia seguinte.

É assim que eu quero que procedas em todas as tuas ocupações cotidianas. Pela manhã, faze um ato de confiança, de completo abandono à minha vontade, porque tudo que acontecer será por minha permissão. Lembra-te de que cada momento é um "sacramento", é uma graça. Renova este abandono várias vezes durante o dia. Uma palavra, um olhar, para mim é o bastante.

Não faças teu dever com pressa, mas com calma, com perseverança, sem nervosismo, sobretudo sem preocupação com aquilo que os outros pensam. Faze cada coisa a seu tempo e tudo, quanto possível, unicamente por meu amor.

A PUREZA DE INTENÇÃO

"... fazei tudo para a glória de Deus"
(1Cor 10,31).

As ações, por si mesmas, valem muito pouco aos meus olhos. E feitas sem amor, não valem nada. O amor é tudo. Meus santos o compreenderam assim e disseram que apanhar uma agulha somente por amor de Deus é um ato mais importante do que pregar brilhantes sermões, sem amor. Para mim o valor de um ato, como o de um presente, é medido pelo amor de quem o realiza. Por isso, as crianças podem oferecer-me presentes tão grandes como os de reis, e mesmo maiores, se o amor delas é mais puro. Esta é a razão por que a pessoa que me ama pode servir-me na mais elevada santidade.

Não diminuas o valor de teus dons, misturando o amor de Deus com a procura do amor das pessoas, de seus louvores, de suas honras e vantagens. Não que seja errado agir por estes motivos naturais, mas são insuficientes. E tua motivação deve ser o amor puro. Faze o que tens de fazer e como o podes fazer, mas unicamente por amor a Deus, sem qualquer outra consideração.

Conserva tua intenção pura. Procura, acima de tudo, servir-me em cada momento que te concedo. Não te esqueças que trabalhas por mim, não pelo sucesso, pelos aplausos, muito menos por recompensas humanas. Digo-te outra vez: não te deixes absorver pelo trabalho em si. Se trabalhas por mim, pouco importa que sejas recompensado com o sucesso ou não. Deixa-o em minhas mãos. Uma vez que não preciso de teu trabalho, o resultado é de pouca importância. Interessa tão somente que seja feito por mim. Reflete sobre isto!

Alguns desejam ardentemente fazer minha vontade, mas ficam preocupados em saber qual é esta vontade. Não quero que te preocupes com isto nem com qualquer outra coisa. Não quero que te agites para decidir, por exemplo, se deves rezar o terço ou ler a Bíblia, se deves ler um livro ou fazer um passeio, se deves visitar um doente ou a mim. Alguns amigos meus gastam mais tempo para se decidir do que para realizar as ações.

Lê estas palavras de São Francisco de Sales: "Devemos dar atenção para a importância daquilo que vamos fazer... Devemos ter boa fé e... escolher livremente aquilo de que gostamos, sem cansar a cabeça, sem perder tempo, sem nos perturbarmos com escrúpulos ou superstições" (*Tratado do amor de Deus*).

Ainda que eu te guie sempre, tens grande liberdade. Diante de duas ações, ambas com a mesma importância, não discutas; antes, escolhe uma e realiza-a.

Mesmo em assuntos importantes, não demores tanto em te decidires, a ponto de perderes a paz do espírito. Não podes forçar-me a te revelar minha vontade. Algumas vezes não quero que vejas muito claro. Então, deves escolher por ti mesmo. Pede ao Espírito Santo que te ilumine, pensa calmamente no assunto, consulta a opinião daqueles nos quais confias, e toma a tua decisão. Escolhe, não vaciles nem discutas mais. Realiza aquilo que deves realizar com tranquilidade e firmeza, com a intenção de fazer minha vontade. E não duvides disto, uma vez que tomaste tua decisão.

Isto não quer dizer que sejas infalível, porque a sabedoria humana é limitada. Um pai pode tomar uma decisão errada com referência ao bem-estar de sua família e, no entanto, pode realizá-la com minha bênção. Acertarás sempre que, com seriedade e com humildade, buscaste a minha vontade em tua decisão.

Não importa o resultado. Não importa se as coisas e as pessoas te fazem sofrer. Procedeste bem. Não penses nos teus sofrimentos, mas em mim. Por meio dos acontecimentos e das pessoas, estou procurando tornar-te mais intimamente unido a mim. Dize-me: "Eis o servo do Senhor. Faça-se em mim a sua vontade" (cf. Lc 1,38).

Une tua vontade à minha, quando fazes as menores coisas, no teu dia a dia, e repete frequentemente: "Venha a nós o vosso Reino, seja feita a vossa vontade". Procede assim nas coisas pequenas e encontrarás facilidade em fazê-lo também nas coisas grandes, porque quem é fiel nas pequenas, sê-lo-á também nas grandes.

Assim me darás tudo o que tens. E é o que quero: tua vida, tuas orações, teu trabalho, tua diversão, tuas leituras, teu estudo, teu passeio, teu pensamento, tuas refeições, e mesmo o teu sono. Então, tua vida será simples, pura, e terás o desejo de viveres sempre de acordo com os meus planos a teu respeito.

COPIANDO O RETRATO DE CRISTO

> *"... revesti-vos do Senhor Jesus Cristo..."*
> *(Rm 13,14).*

Tua tarefa, meu amigo, consiste em copiar um retrato. Tua felicidade presente e eterna depende disso.

Que retrato? O meu.

Como? Com tua vida.

Meu Pai te deu a tela, os pincéis, as tintas, um lugar onde deves trabalhar e um assunto para reproduzires. A tela é a tua vida; os pincéis são os teus pensamentos, as tuas palavras, as tuas ações; as tintas são as inspirações, as tentações, as provações e alegrias que encontras; o lugar de trabalho é a tua vocação; o assunto sou eu. Organiza a tua vida de tal forma que quando meu Pai olhar para ti veja a minha imagem.

Deixa-me ajudar-te. Desejo que "te revistas do Cristo", para que eu viva em ti e tu vivas em mim, de forma a participares mais plenamente de minha natureza, como eu participei da tua.

Para te ajudar, tornei-me um ser humano, verdadeiro, do berço até a morte. Mostrei como Deus quer que a pessoa viva.

Esforça-te por praticar especialmente aquelas minhas virtudes que são mais necessárias ao teu estado de vida. É assim que "te revestirás do Cristo". E assim que me permitirás viver em ti mais plenamente.

Aprende tudo o que puderes a meu respeito. Familiariza-te com minha vida. Procura "ver-me" andando pelos caminhos e campos da Palestina, dois mil anos atrás. Sou verdadeiro homem e verdadeiro Deus e, por isso, posso ser um verdadeiro modelo para ti.

Meus discípulos me amaram, e eu os amei também. Sentiam-se "à vontade" comigo. Falávamos francamente. Pedro, às vezes, discutia comigo e Judas murmurava em minha presença. Traziam-me seus problemas para que eu os resolvesse.

Às vezes, eu os colocava à prova para ver como reagiam, assim como faço contigo. Uma vez, atravessando o mar da Galileia, adormeci na popa do barco, enquanto a tempestade rugia. Eles vieram a mim, sacudiram-me e gritaram, com certo tom de repreensão: "Mestre, não te importa que estejamos perecendo?" (Mc 4,38).

Eu acalmei os ventos e as ondas. Depois, disse-lhes: "Por que sois tão medrosos? Ainda não tendes fé?" (Mc 4,40). Quantas vezes, quando duvidas ou desconfias de mim, tenho tido a ocasião de te dizer: Por que temes? Onde está a tua fé? (cf. Lc 8,25).

Noutra ocasião, quando milhares de pessoas nos seguiram até o deserto e começou a ficar tarde, meus discípulos disseram: "Este lugar é deserto e já é tarde. Despede-os, para que possam ir aos sítios e povoados vizinhos e comprar algo para comer" (Mc 6,35-36). "Eles não precisam ir embora", respondi. "Vós mesmos dai-lhes de comer!" (Mt 14,15). E Filipe, com sua sinceridade muito característica, argumentou: "Nem duzentos denários de pão bastariam para dar um pouquinho a cada um" (Jo 6,7). Perguntei se havia algum alimento por ali. E André adiantou: "Está aqui um menino com cinco pães de cevada e dois peixes. Mas, que é isso para tanta gente?" (Jo 6,9).

Pedi que trouxessem os pães e os peixes e que mandassem o povo sentar-se. Eles distribuíram a comida, todos se alimentaram e ainda sobrou o suficiente para encher doze cestos.

Quis provar a fé dos meus discípulos. Eu sabia o que devia fazer. Muitas vezes também provo a tua fé, embora saiba perfeitamente o que devo fazer.

Estuda minha vida e verás que eu sou um ser humano completo, real. Também verás que meus discípulos eram homens normais, levando vidas normais.

Medita sobre isto.

Lembras-te daquele pobre homem que jazia, há 38 anos, junto à piscina de Betsaida, e que eu curei? Compadeci-me dele, como te compadeces dos inválidos que encontras. Ele nem pediu que o curasse. Perguntei-lhe se queria ficar bom. E quando ele respondeu que não tinha quem o colocasse na piscina, eu o curei.

E aquela viúva, às portas da cidade de Naim, cujo filho morto ressuscitei? Também não me pediu. Meu coração se comoveu, como o teu se comoveria também.

E aquela mulher que era corcunda havia dezoito anos, sem poder olhar para o alto, e que eu curei?

E aquela outra que havia doze anos sofria de uma hemorragia, e que tocando minhas vestes ficou curada?

Medita sobre Maria, Marta e os outros que estavam ao lado do túmulo de meu amigo Lázaro a quem eu ressuscitei. Sobre o homem que era cego desde o nascimento e ao qual eu restituí a vista. Sobre a filha de Jairo, a qual ressuscitei. Sobre o centurião pedindo-me por seu filho, a quem curei. Sobre aquele homem que tinha a mão paralítica e que eu curei também. Sobre a sogra de Pedro, cuja febre fiz desaparecer. Sobre o servo do sumo sacerdote, cuja orelha Pedro cortara, no Getsêmani, e eu curei.

Medita sobre minha misericórdia para com os aflitos, como a adúltera, o paralítico e Maria Madalena. Medita sobre minha indignação contra a hipocrisia e a injustiça.

Observa como conheço as necessidades do corpo, alimentando a multidão no deserto e providenciando vinho em Caná. Observa como me junto a todas as classes de pessoas: participo de banquetes dos ricos fariseus e faço refeições com pecadores públicos.

Lembra-te de como pedi pelos meus carrascos, enquanto me crucificam: "Pai, perdoa-lhes! Eles não sabem o que fazem!" (Lc 23,34).

Lembra-te do que disse ao ladrão crucificado ao meu lado: "Hoje estarás comigo no Paraíso" (Lc 23,43).

Medita sobre estas coisas e procura imitar minhas virtudes. São virtudes normais, de cada momento, como a paciência, a suavidade, a bondade, a misericórdia, o perdão, o amor.

SEGUIR A CRISTO

> *"Nós deixamos tudo e te seguimos"*
> *(Mc 10,28).*

Deixa-me explicar-te exatamente o que deves fazer para seres o que eu desejo.

Deves cumprir fielmente todas as tuas obrigações diárias, grandes ou pequenas, por amor a mim. Lembra-te de que fui eu que as dei e que elas são "sacramentos" de cada instante. Assim, estarás bem disposto para que eu viva em ti.

Deves pedir a graça de me retratar mais intimamente, de me compreender mais plenamente, de me seguir mais firmemente. Pede esta graça agora, pede-a diariamente.

Sê fiel em participar da missa e em receber os sacramentos, com a frequência que tua posição e as circunstâncias da vida o permitem. De modo especial, quando venho a ti no sacramento da Eucaristia, pede-me a graça de seres semelhante a mim. Não posso recusá-la. É o que desejo mais do que qualquer outra coisa. Pede e receberás em abundância as graças de que precisas. Desejo ardentemente ver nascer em tua alma aquele mesmo amor com que amo a meu Pai, vê-lo crescer em ti e amadurecer em frutos celestes.

Deves ler os Evangelhos refletindo nas minhas virtudes, na majestade, no poder e no amor de Deus. Compara, como puderes, tua frágil resposta de bondade com a bondade infinita do Todo-Poderoso. Observa as tuas ações. Por que as fazes? Porque são a vontade de meu Pai ou porque servem a teu amor próprio? Mesmo tuas melhores ações, como estão longe de minha bondade! Compara o que fazes e como o fazes com o que eu fiz e como fiz.

Medita em minha bondade como homem e como Deus. Se como homem ensinei, curei e cheguei até a morrer por meus irmãos, qual não será minha bondade e amor como Deus? Se, como homem, dei até minha vida, não será natural que, como Deus, te dê o máximo? Quem pode impor limites a Deus?

Há alguma coisa que eu tenha podido fazer como homem, por ti, e que não tenha feito? Haverá, então, alguma coisa que eu não faça como Deus? Medita e verás o que fiz por ti, na terra, até a morte na cruz. Não podes nem sequer imaginar o que farei por ti no céu.

Enquanto te esforças por me seguir, terás sucessos e fracassos. Não te orgulhes de teus sucessos, mas também não desanimes com os fracassos. És ser humano e, portanto, és fraco. Porque eu era homem, caí sob a cruz no caminho do Calvário. Aceitei minha fraqueza humana, porque era vontade de meu Pai. Não era forçoso aceitá-la, como não era forçoso que eu caísse. Mas tendo-me tornado humano, era necessário que obedecesse às limitações de minha humanidade.

Compreende que nenhum sofrimento, nem a morte por si mesma, poderia remir-te. O amor te remiu, o amor que tenho para com meu Pai.

Quero que aceites tua humanidade com suas fraquezas e limitações. Não importa quantas e quão grandes sejam tuas imperfeições, se são involuntárias. Quero que te glories mesmo de todas as imperfeições, sabendo que me agradas grandemente, se as aceitas com humildade. Une tuas quedas com a minha sob o peso da cruz. Oferece-as a mim com todas as suas humilhações. Oferece-me tua fraqueza; recebo-a como dom.

Como me imitarás e como serás o que desejo?

Rezando, estudando e imitando as virtudes que encontras em mim. Sê humilde, puro, paciente e bondoso. Ama a Deus e ao teu próximo. Sobretudo, une tua vontade à minha, como uni a minha à de meu Pai. Não devias ter outra vontade senão a minha. Esta é a essência do amor.

Faze, pois, tuas tarefas diárias com amor. Não olho tanto para o que fazes, mas para o amor com que o fazes.

Além do meu amor e do desejo de fazer minha vontade, sê bom para com teu próximo, obediente a teus superiores, generoso para com os que estão sob as tuas ordens ou os mais fracos. Sê paciente, calmo e alegre. Faze o que deves, com um sorriso no semblante e com alegria no coração.

Em tudo pratica minhas virtudes, sobretudo a união de nossas vontades. É isto que desejo. Isto é participar de minha natureza. É copiar o meu retrato.

4. CRISTO EM NÓS

O CORPO MÍSTICO DE CRISTO

"Eu sou a videira e vós, os ramos"
(Jo 15,5).

Agora, meu amigo, quero dizer-te com simplicidade algumas verdades sublimes.

Eu formo, com minha Igreja, um Corpo Místico, o qual é, conforme as palavras de Agostinho, o Cristo todo.

Não podes compreender este mistério, nem as palavras humanas podem expressá-lo completamente. Aproximar-te-ás de seu sentido somente por meio de comparações.

Teu corpo tem muitas partes e, no entanto, é um só. Tens cabeça, nariz, olhos e ouvidos, braços e pernas, mãos e pés. Todos estes membros têm funções diferentes e, no entanto, formam todos um só corpo animado por uma única alma. Se teu olho dói, todo teu corpo sofre. Se os sintomas de fome são aliviados, todo o corpo participa do prazer do alimento.

De alguma forma, assim como teu corpo tem muitos membros e, contudo, é um só, assim também meu Corpo Místico, apesar de ter muitos membros e cada um com sua função, é um só. Eu sou a cabeça do corpo, o Espírito Santo é a alma, e os fiéis de minha Igreja são os membros vivos.

Assim como o ramo de uma árvore possui a vida da árvore, assim também tu possuis minha vida. Assim como muitos grãos de trigo juntos formam o pão e as gotas de água formam o mar, assim também muitos indivíduos, na minha Igreja, incorporam-se num Corpo Místico, que sou eu mesmo.

É por isso que Paulo escreveu: "Eu vivo, mas não eu: é Cristo que vive em mim. Minha vida atual na carne, eu a vivo na fé, crendo no Filho de Deus" (Gl 2,20). E noutro lugar: "Vós todos que fostes batizados em Cristo vos revestistes de Cristo. [...] todos vós sois um só, em Cristo Jesus" (Gl 3,27-28). E esta é a razão por que eu mesmo disse a ele, quando perseguia os fiéis de minha Igreja: "Saulo, Saulo, por que me persegues?" (At 9,4).

Como membro do meu Corpo Místico, tu és um comigo. Vives em mim e eu em ti. Moras no Pai e o Pai em ti. Habitas no Espírito Santo e o Espírito Santo em ti. Habitas na Santíssima Trindade e ela em ti.

Eu sou eu e tu és tu, pessoas distintas e separadas e, no entanto, somos um. Como é grande a tua dignidade, ó cristão!

Como pode ser?

Não significa que sejas Deus. Apesar desta união, não penses que tu ou qualquer outro membro de minha Igreja passe de simples criatura humana. Não significa que estejas unido ao meu corpo humano, formando uma nova pessoa física. Meu Corpo Místico não é um corpo físico. Não significa também que percas tua personalidade, tua livre vontade, tua responsabilidade pelo que pensas, dizes ou fazes.

Contudo, meu Corpo Místico, apesar de não ser físico, é real. Não é imaginário ou alegórico.

Há formas de união mais elevadas que as de união física. Os laços de união que prendem entre si os membros de minha Igreja e eles a mim são superiores aos que ligam entre si as partes de um corpo físico.

Não há palavras para descrever convenientemente esta união. Como membro de meu Corpo Místico, estás mais unido a mim do que à tua mãe, quando ela te trazia no seio. Deves entender que esta união é de ordem extraordinária. Tens uma vida dupla, a natural e a sobrenatural; a vida de um ser racional e a vida divina de Deus.

E por meu Corpo Místico ser de ordem sobrenatural, não é limitado nem pelo tempo nem pelo espaço. Este fato torna possível a verdade maravilhosa que transformou completamente teu destino. Não sendo meu Corpo Místico limitado pelo tempo, eu pude morrer pelos teus pecados, antes mesmo que os cometesses. Em certo sentido, eu pude viver tua vida, antes de seres concebido. Não sendo meu Corpo Místico limitado pelo espaço, eu posso incluir nele todos os cristãos, ao mesmo tempo.

Mesmo na minha vida terrena, eu tinha sempre e continuamente presentes todos os membros de meu Corpo Místico. Jamais deixei de os abraçar no meu amor. No templo do seio de minha mãe, na oficina de Nazaré, nos caminhos da Palestina, na cruz, na glória eterna de meu Pai, eu abracei a ti e a todos os membros de minha Igreja. E o fiz com uma clareza e um amor imensamente superior ao conhecimento e ao amor de uma mãe por seu filho, superior mesmo ao amor e ao conhecimento de minha mãe para comigo.

Começas, agora, a entender esta sublime verdade do meu Corpo Místico? Porque foste sempre objeto de meu olhar e de meu amor, cada momento de minha vida está relacionado com a tua. Toda a minha vida, em certo sentido, está à tua disposição, em cada momento de tua vida. Estou sempre pronto para corrigir o que está errado. Tens somente que unir tua vontade à minha e isto une minha vida à tua. Cada segundo oferece-te nova oportunidade de perder tua pobreza e ganhar minha superabundância.

É isto que significa pertencer ao Corpo Místico. Embora não de forma física, estamos certamente mais unidos do que teus membros ao teu próprio corpo. Formamos um verdadeiro organismo, um verdadeiro Corpo Místico. E este corpo sou eu mesmo.

A DIGNIDADE DO CRISTÃO

> *"... eu [estou] neles e tu [estás] em mim"*
> *(Jo 17,23).*

No momento em que eu me ofereci ao Pai, em minha paixão e morte, tornou-se realidade a união da humanidade comigo. Foi então que nasceu meu Corpo Místico. Ainda que só nascerias muitos anos depois, tua união mística comigo tornou-se potencialmente real.

Esta união tornou-se atual quando recebeste a fé no Batismo. No momento em que a água purificadora correu sobre tua cabeça e o ministro pronunciou as palavras vivificantes, minha vida introduziu-se na tua. Possuindo, então, minha vida, começaste a viver em mim e eu em ti. Ao mesmo tempo, meu Pai aceitou-te como filho adotivo, tornando-te participante comigo do Reino dos Céus. Daquele momento em diante, tu te tornaste um comigo. *Minha crucifixão tornou-se tua crucifixão. Minha morte na cruz, tua morte, e meu direito ao céu, teu direito também.*

Isto, porque a graça não me foi dada unicamente como a um indivíduo, mas à cabeça da Igreja, de modo que passasse de mim para meus membros. Minhas ações estabelecem uma relação comigo e com os meus membros, semelhante à relação existente entre um homem em estado de graça e ele mesmo. Tudo o que eu fiz te pertence, como se tu mesmo o tivesses feito.

Por causa desta união comigo, com minha morte pude expiar o pecado original e os teus pecados pessoais. E continuo a expiar os teus pecados e os dos outros, oferecendo-te comigo não somente na missa, mas em todos os teus pensamentos e em todas as tuas ações. Comigo podes ser um corredentor do gênero humano. Oferecendo-te a ti mesmo, em certo sentido, é como se toda a humanidade se oferecesse em sacrifício e fizesse uma reparação.

Deixa-me exprimir outra vez esta verdade sublime. Quando me ofereci na cruz, eu não era somente Jesus, o filho de Deus e de Maria, fazendo reparação. Eu era a humanidade também fazendo esta mesma reparação. Atualmente, na missa, eu sou tu, expiando, glorificando, louvando e agradecendo ao Pai. Eu te santifico em mim mesmo, porque estás unido misticamente a mim. Pertences ao meu Corpo Místico.

Compreendes, agora, tua dignidade? Participei de tua natureza humana, e tu participas, agora, de minha natureza divina. És humano, e Deus habita em ti. És mortal, e tens a vida eterna. Tu és tu mesmo, eu sou eu mesmo. E, no entanto, estamos misticamente unidos.

Compreendes tua responsabilidade? Tua natureza foi transformada, porque elevada a um plano superior. Tua vida não pode mais ser puramente natural, Porque vives num nível sobrenatural e és membro de meu Corpo Místico. Fazer minha vontade, que é o mesmo que fazer a vontade de meu Pai, é o princípio fundamental desta união com meu Corpo Místico. Cada ato de conformidade com minha vontade é um ato de união comigo, é um ato de *comunhão* (com-união). Cada ato de rebeldia contra minha vontade é uma negação de união comigo, é uma *desunião* (des-união). Se este ato de desunião for grave, consciente e plenamente voluntário, então com ele destruirás tua vida sobrenatural. Não te separas de meu Corpo Místico, enquanto conservas a fé, mas estás morto. És um membro sem vida deste meu Corpo Místico. És semelhante a um ramo caído da árvore ou a uma célula cancerosa de um corpo humano.

Oxalá isto não aconteça, porque seria uma tragédia indescritível.

Entendes, agora, como a união da vida divina é muito mais íntima do que a da vida humana? Entendes como estás, de forma sobrenatural, mais intimamente unido a mim do que minha própria mãe esteve unida a mim humanamente? Compreendes como todos os seres humanos que possuem a vida divina, sem distinção de cor ou de nacionalidade, estão mais intimamente relacionados entre si do que com seus próprios pais pelos laços da natureza humana?

Percebes, agora, o que eu quis dizer naquela nossa primeira conversa: "Quem faz a vontade de Deus, esse é meu irmão, minha irmã e minha mãe"? Tudo isto está implícito naquela oração que dirigi a meu Pai, na véspera de minha morte: "Eu não rogo somente por eles, mas também por aqueles que vão crer em mim pela palavra deles. Que todos sejam um, como tu, Pai, estás em mim, e eu em ti. Que eles estejam em nós [...]. Eu lhes dei a glória que tu me deste, para que eles sejam um, como nós somos um: eu neles, e tu em mim, para que sejam perfeitamente unidos, e o mundo conheça que tu me enviaste e os amaste como amaste a mim [...] para que o amor com que me amaste esteja neles, e eu mesmo esteja neles" (Jo 17,20-26).

Desejo que todos os seres humanos sejam um. O Pai, o Filho e o Espírito Santo são três e, no entanto, somos um. Tudo é comum entre nós. Que sejas um em nós, como nós somos um. Esta é a dignidade a que te elevei.

Conhece, ó cristão, a tua dignidade!

CRISTO NOS MANDA AMAR

"Vivei no amor, como Cristo também nos amou"
(Ef 5,2).

O conhecimento de que estás tão intimamente ligado às outras pessoas no meu Corpo Místico inspira-te um novo amor para com teu próximo? Deveria dar-te uma nova visão, uma nova compreensão, um novo amor. Eu deixei um novo mandamento: amar o próximo não somente como a ti mesmo, mas como eu te amei; de veres no teu próximo não a ti mesmo, mas a mim. O modo de mostrares teu amor para comigo será amar o teu próximo.

O mesmo que eu disse aos meus primeiros discípulos, digo-o a ti: "Se me amais, observareis os meus mandamentos. [...] Este é o meu mandamento: amai-vos uns aos outros, assim como eu vos amei. [...] O que eu vos mando é que vos ameis uns aos outros" (Jo 14,15; 15,12.17).

Achas difícil suportar as fraquezas dos outros, mesmo no seio de tua família? Na noite antes de minha paixão e morte, meus amigos mais íntimos questionavam e discutiam entre si sobre quem seria o primeiro. Porventura os repreendi, castiguei-os com palavras duras, ou os fustiguei com o fogo de minha indignação? Não. Levantei-me, pus de lado o manto, tomei uma toalha, coloquei água numa bacia e lavei-lhes os pés. Quando terminei, sentei-me outra vez e perguntei-lhes: "Entendeis o que eu vos fiz? Vós me chamais de Mestre e Senhor; e dizeis bem, porque sou. Se eu, o Senhor e Mestre, vos lavei os pés, também vós deveis lavar os pés uns aos outros" (Jo 13,12-14).

É difícil pôr o bem dos outros, mesmo de teus amigos, acima do teu. Teus primeiros pensamentos são para ti mesmo. Numa noite, o horror do pecado e a natural aversão ao sofrimento e à morte pesaram tanto sobre mim, que o sangue correu através dos poros de minha pele. Meus melhores amigos dormiam, apesar de eu ter pedido que vigiassem comigo. Contudo, eu disse aos guardas que vinham com armas, tochas e lanternas, para me prender: "Se é a mim que procurais, deixai que estes aqui se retirem" (Jo 18,8).

Segue meu exemplo!

Dás generosamente teu tempo aos outros? Ou fechas tua porta ao infeliz? Muitos dias e muitas noites o povo me trazia os doentes, de modo que toda a cidade parecia estar ali reunida. E eu os curava de todas as espécies de doenças.

Segue meu exemplo!

Amas aqueles que abusam de ti ou revidas com raiva? Imagina esta cena em Nazaré, onde eu estava pregando. Meus concidadãos rejeitam-me e recusam-se a acreditar em minha palavra. Ridicularizam-me, pedindo que faça algum milagre. Procuro persuadi-los, lembrando-lhes aquele provérbio que diz que nenhum profeta é bem aceito em sua cidade. Censuro-os por seu orgulho obstinado. Encolerizados, agarram-me, levam-me ao cimo de um monte, querem precipitar-me dali. Eu podia prostrá-los por terra, podia destruí-los com um raio, podia fazer a terra abrir-se e devorá-los. Mas são criaturas de meu Pai e eu as amo. Vim para salvar e não para destruir. Então, passo no meio deles e evito que cometam aquele pecado, ali. Dei-te um exemplo.

És misericordioso? És capaz de ser delicado e paciente, quando estás com uma forte dor de cabeça? Vem ao calvário e ouve o bater dos martelos, enquanto os algozes cravam grandes pregos em meus punhos e nos meus pés. Vê o sangue e a contração de meus membros torturados.

"Pai, perdoa-lhes! Eles não sabem o que fazem!" (Lc 23,34).

Ouve as zombarias dos espectadores, o desprezo dos transeuntes, as blasfêmias do ladrão à minha esquerda. Escuta o ato de fé e de contrição do bom ladrão: "Jesus, lembra-te de mim..." Ouve minha resposta serena: "Em verdade te digo: hoje estarás comigo no Paraíso" (Lc 23,42-43).

Dei-te um exemplo.

Considera minhas parábolas. De cem ovelhas perde-se uma. E o pastor vai procurá-la até encontrá-la. Então, volta com ela aos ombros, cheio de alegria.

Uma mulher tem dez moedas e perde uma. Varre toda a casa até encontrá-la. Então, convida as vizinhas para se alegrarem com ela.

Um pai tem dois filhos e enquanto um deles fica em casa, o outro pede sua parte da herança e vai gastar seus bens desenfreadamente, numa região distante. E, quando, mais tarde, sem dinheiro, volta à casa do pai, este o recebe com alegria, veste-o com as melhores roupas, coloca-lhe no dedo seu próprio anel e manda preparar um banquete.

Quantos crimes, cada dia, clamam aos céus por castigo! Quantas ovelhas se perdem! Contudo, meu Pai procura as ovelhas perdidas, perdoa os pecadores, esperando-os como ao filho pródigo.

Perdoas também aqueles que te ofendem? Recebes com alegria os pródigos que te procuram para reatar uma amizade rompida?

Ama teus semelhantes como eu te amei. Mostra teu amor para comigo, amando-os. Ama, perdoa, procura os outros, porque, servindo-os, serves a mim.

CRISTO NOS OUTROS

> *"... somos em Cristo um só corpo"*
> *(Rm 12,5).*

Qual é a tua atitude para com aqueles que são indelicados, que ofendem os teus direitos, que te deixam de lado, que se aproveitam de ti, te aborrecem ou te ridicularizam? Segues o exemplo que te dei?

Ama os teus inimigos. Faze o bem aos que te odeiam, pede pelos que te perseguem e insultam. Assim como meu

Pai, que está nos céus, faz seu sol brilhar tanto sobre os maus como sobre os bons, sua chuva cair igualmente sobre os justos e os injustos, assim deves sorrir a todos com verdadeiro amor, não somente aos que te fazem o bem, mas também àqueles que te insultam, te odeiam ou te ofendem. Procura-os e trata-os com bondade.

Não sejas crítico, procurando os defeitos dos outros. Procura, antes, suas qualidades. Resolve passar o dia de hoje sem criticar ninguém. E corrige o que errou, como é teu dever.

Quando sentires a tentação da impaciência ou da ira, pensa nisto: irritar-me com os outros é, em certo sentido, irritar-me comigo mesmo. Estou em todos os membros do meu Corpo Místico. E os amo a cada um. Se uma única pessoa, pelo pecado de Adão, tivesse sido privada da união divina, eu teria vindo à terra para remi-la. Se amo a todas as pessoas, tu deves também fazer o mesmo. Estava disposto a viver e morrer por todos e cada um deles. Da mesma forma, se quiseres seguir-me com perfeição, deverás estar disposto a viver e até a morrer pelos outros, se for necessário. O que fazes ao outro, tu o fazes a mim.

Às vezes será teu dever repreender alguém que errou. A criança que erra deve ser repreendida, mas sempre com amor. Corrige teu filho ou quem estiver sob tua autoridade, como minha mãe me corrigia. Olha para aquele que precisa de conselho como para um Cristo cansado. Auxilia-o, como a um Cristo sedento à beira do poço da Samaria ou como um Cristo sofrendo na cruz. Como Verônica limpou minha face, com bondade e amor, assim deves ajudar a reparar as faltas daqueles que estão sob tua autoridade.

Eu te amo tanto que me torno indefeso em tuas mãos. Não sejas indelicado com os outros, áspero com os teus, impaciente com teu vizinho. E o que fazes a eles, a mim o fazes. Isto deveria tornar-te muito mais cuidadoso nas tuas relações e atitudes para com os outros.

Uma vez que os membros de meu Corpo Místico estão unidos comigo misticamente, deves ver-me em teus semelhantes não fisicamente, mas com os olhos da fé. Quero que me descubras nos rostos das criancinhas, nas mãos calejadas dos trabalhadores e das donas de casa, nos corpos encurvados dos velhos, nos homens de negócios e nos pedintes esfarrapados. E quero mais: que me adores nos teus semelhantes, mesmo naqueles que abusam de ti. Como podes adorar-me verdadeira e plenamente, a não ser que me adores também presente nos membros de meu Corpo Místico?

Quando vês um pobre ou um paralítico na esquina, vendendo coisas de pouco valor, pensas, acaso, contigo mesmo: "É o Cristo sofredor"?

Quando doas sangue, compreendes que o fazes a mim? Quando uma agulha fere teu dedo, pensas que aquilo tem alguma semelhança com os cravos que perfuraram as minhas mãos? Quando te feres e sangras, pensas no sangue que correu de meu corpo, na Sexta-feira Santa?

Porque vivo nos membros de meu Corpo Místico, tens inúmeras oportunidades de me servir nos seres humanos. Quando alimentas ou sustentas carinhosamente nos braços uma criança, é a mim que alimentas e sustentas com carinho, como fazia minha mãe. E assim podes retribuir um pouco do que fiz por ti.

As obras de misericórdia feitas sem amor a mim não têm valor. Elas são muito mais importantes do que a própria ajuda dada ao necessitado.

Levar um amigo a lanchar, oferecer um doce a alguém, preparar um refresco para a família num dia de calor, emprestar um abrigo ou uma roupa, receber um visitante ou um turista, instruir ou aconselhar aqueles que o pedem, ensinar um caminho ao desconhecido, fazer uma prece pelo motorista, abençoar interiormente aqueles que passam por ti na rua, elevar uma prece quando ouves a sirene da ambulância, dos bombeiros ou da polícia – tudo isto, feito por amor a mim, são obras de misericórdia de inestimável valor.

Se amas a mim e ao teu próximo, repete comigo esta oração:

Senhor, que eu me lembre sempre:
tudo o que faço ao próximo, faço-o também a ti.
Que eu jamais esqueça o teu mandamento:
"Amai-vos uns aos outros como eu vos amei".
Que meus pensamentos sobre os outros sejam os teus pensamentos.
Que meu amor aos outros não seja mais meu amor, mas teu amor.
Na minha conversa com os outros, que minhas palavras
não sejam mais minhas, mas tuas.
Que eu sirva aos outros como serviste a todas as pessoas,
desinteressadamente.
Que eu não veja mais os outros, e sim, eles em ti.
Que teus pensamentos habitem em meu espírito,
teu amor no meu coração,
tuas palavras nos meus lábios.
E que eu aprenda a amar o próximo, como tu, Senhor, me amas.

CRISTO EM MIM MESMO

"... eu permanecerei em vós" (Jo 15,4).

Se procurares com seriedade retratar-me, prometo que avançarás maravilhosamente na vida sobrenatural. Como os esposos e as esposas assumem, às vezes, uns dos outros os modos e as expressões, assim desejo que vivas em tal intimidade comigo que assumas as minhas características, as minhas virtudes, a minha forma de vida. Vive assim. E prometo que não somente tua vontade, mas também teus pensamentos e sentimentos serão os mesmos que os meus. Viverei em ti de modo especial. Adorarás ao Pai com meu amor, olharás para ele com meus olhos, falarás a ele com minhas palavras.

Que sublime privilégio adorar a Deus com o amor do mesmo Deus!

Tua vida não será mais uma imitação da minha. Tornar-se-á idêntica à minha. E então poderás dizer com o apóstolo Paulo: "Eu vivo, mas não eu: é Cristo que vive em mim" (Gl 2,20).

Pensa bem nessas verdades. Devem proporcionar-te uma grande alegria. Convido-te para uma vida de identificação comigo.

Eu, o Verbo de Deus feito homem, desejo louvar meu Pai, com toda a criação. Adoro-o e amo-o não somente com minha divindade, mas também com minha humanidade.

Os trinta e poucos anos de minha vida na terra não satisfizeram o amor de minha natureza humana para com meu Pai. Desejo continuar, através de ti, amando meu Pai em ti e, por meio de ti, nos seres humanos, por toda a eternidade.

Esta a razão por que me uni contigo de uma maneira real, na união de meu Corpo Místico. Esta a razão por que te convidei para viveres em mim, de modo que estejamos identificados um com o outro.

Em tudo, busco, em primeiro lugar, o amor por meu Pai, mas também o amor por ti. Quero que tenhas este privilégio: amar o Pai por meio de mim, e que me permitas amá-lo por meio de ti. Isto foi o que pensei desde toda a eternidade.

No calvário, dei-te a vida divina, fazendo-te participante de minha natureza divina. Desde então, podes glorificar o Pai em mim. Desde então, pertences ao meu Corpo Místico e participas de minha filiação divina. Na verdade, ele é teu Pai.

Compreendes, de alguma forma, o que te digo? Tens a Deus por Pai não somente porque ele te criou e te sustenta, mas porque sua mesma vida divina está em ti. Ele te ama como criatura e como filho, porque é teu Pai.

E digo mais: tenho necessidade de ti. Quero teu corpo, tuas emoções, teus pensamentos, tuas palavras, tuas ações.

Entrega-me teu coração para que, juntos, amemos o Pai ardentemente. Entrega-me teus lábios para, juntos, cantarmos seus louvores. Entrega-me teu espírito, teus olhos, tuas mãos, todo o teu ser. Em ti e por ti quero viver como numa segunda vida, inteiramente de amor, como se fosse uma continuação e um complemento de minha vida terrena na Palestina. Entrega-te todo a mim e por ti entregar-me-ei todo a ele. Juntos ofereceremos um dom perfeito: um Deus que se oferece ao mesmo Deus.

Vive minha vida. Sê puro para que eu seja puro em ti. Sê generoso para que eu seja generoso em ti. Sê diligente, zeloso, moderado. Inflama-te de amor para que eu me inflame contigo.

Que maravilhoso destino o teu! Quantas pessoas salvarás com teu amor! Quantos pecadores trarás de volta ao Pai por meio de tuas reparações! Quantos ignorantes serão convertidos e instruídos por meio de tuas orações!

Sê um comigo, vivendo minha vida em tudo o que fazes, em tudo o que experimentas.

Sê um comigo, vivendo minha vida na doença, na saúde, na prosperidade, na depressão, na paz ou na guerra.

Sê um comigo, vivendo minha vida na consolação, na aridez, na tentação, na dúvida, no desprezo e no louvor.

Vive minha vida em todos os momentos. Dize-me: "Senhor, desejo somente o que desejas! Tua vontade é minha vontade!".

Vive minha vida. Se me amas de verdade, nada me negarás, nem teu tempo nem tua atividade.

Vive minha vida! E, se me amas de verdade, não recusarás sofrer, porque isto seria recusar o amor. Não apenas aceites o sofrimento, mas ama-o como meio de mostrares tua entrega a mim.

Vive minha vida! Eu te prometo que jamais te provarei além de tuas forças. Se o construtor sabe o peso que a ponte pode suportar, não saberei eu o que podes suportar?

Vive minha vida! Eu te instruirei e te guiarei ao longo do caminho.

Vive minha vida! Serás uma pessoa alegre no Senhor, jubilosa, como convém a um coração reto.

Sê um comigo! Sê meu outro eu! Vive minha vida!

PARTE II

Os meios

PARTE II

Osmoses

5. DESPRENDIMENTO

DOMÍNIO DE SI

> *"... que adianta alguém ganhar o mundo inteiro,*
> *se perde a própria vida?" (Mc 8,36).*

Meu amigo, compreende tua incrível felicidade. Convidei-te não somente para ser outro Cristo, mas para seres um outro eu.

Desejas isto, mas também alimentas as tuas paixões e os teus apetites humanos. As duas coisas não podem estar juntas. Não podes ser um outro eu a não ser que renuncies a ti mesmo.

Meu amor só será compatível com outros amores enquanto não for contrário ao meu, que deve ser supremo. Eu te ordeno o amor ao próximo. Contudo, nenhum outro amor, a pessoas ou coisas, deve superar o teu amor por mim. Deves dominar todos os desejos que te afastam de mim. É impossível ser vaidoso, desejar ser mais importante que os outros, e ser, ao mesmo tempo, um outro eu.

É impossível ser demasiadamente sensível, vingativo, sempre pronto a contradizer os outros, e ser um outro eu.

Não podes ser ganancioso, sensual, guloso, invejoso, e ser um outro eu.

São todas formas de egoísmo, a que deves renunciar. Não quero meias medidas.

Eu disse: "Se teu olho direito te leva à queda, arranca-o e joga para longe de ti!" (Mt 5,29). Que nada impeça tua devoção, teu amor a mim, tua identificação comigo.

Para estares unido totalmente com a Santíssima Trindade e participares da visão beatífica, deves ser perfeito. A essência da perfeição é a união de tua vontade com a minha. Mas como poderás unir tua vontade perfeitamente à minha, se não conquistares, primeiro, tua própria vontade? É por isso que deves extirpar tuas paixões, destruir teu apego às coisas materiais, suprimir em ti o desejo de louvores, de facilidades, de popularidade, e deixar de vangloriar-te de tuas ideias, de tuas qualidades, ou de teu progresso espiritual.

Os impuros não podem ver a Deus. Ser puro é entregar-se totalmente à minha vontade, sem recusar nada. Ser puro no olhar e no coração é não desejar os bens terrenos que são contrários à minha vontade.

Se não te purificas completamente nesta vida, deverás fazê-lo no purgatório. Ali serás purificado do apego aos bens materiais pelo método da privação. Tua vontade ficará privada daquilo que mais deseja: ver minha face. O purgatório purifica, pelo fato de te encontrares tão perto de mim e, no entanto, também fora do teu alcance.

Será muito melhor suprimir, agora, todos os desejos que não te aproximam mais de mim. E não somente aqueles que seriam gravemente pecaminosos, mas até mesmo aqueles que constituiriam faltas leves ou imperfeições. Todos estes desejos voluntários servem apenas para te perturbar, atormentar, cegar e tornar-te indiferente. Purifica-te, negando-te aquelas coisas e aqueles prazeres que possam alimentá-los.

Procura o que é difícil e não o que é fácil, por amor a mim.

Procura o desagradável em vez do que te agrada, por amor a mim.

Procura o que é simples em vez daquilo que é grandioso, por amor a mim.

Procura não desejar nada a não ser o que eu te envio, e não recuses nada daquilo que permito que te aconteça, por amor a mim.

São duras estas palavras? Significam, porventura, que daqui por diante terás de abandonar tudo o que é prazeroso?

De forma alguma! Eu te levarei ao grau de renúncia que é melhor para ti. O que é conveniente para uma pessoa, não o será para outra. Se procurares fazer, por amor, tudo o que te peço, encontrarás alegria no sacrifício.

Mortifica-te. Mas entende que a maior mortificação é a prática da verdadeira humildade. Aceitar humildemente as mortificações que eu te envio é melhor do que acumular mortificações escolhidas por ti.

Observa os jejuns e as penitências impostas por minha Igreja. Lembra-te, porém, de que, em geral, não desejo que as pessoas façam mortificações que as tornem irritadas e descontentes. Que tuas penitências voluntárias limitem-se àquelas que não perturbem a tua paz. Há pessoas que se tornam escravas da mortificação.

De vez em quando eu mando algum sofrimento para que sejas mais completamente meu, desapegando-te daquilo que me separa de ti. Aceita os sofrimentos que te envio, e teu fardo se tornará leve, porque meu jugo é suave para aqueles que me amam.

O desejo de sofrer por causa de mim é santo. Contudo, melhor ainda é a virtude da indiferença. Procura fazer a minha vontade, na alegria ou na tristeza, com santa indiferença, dizendo a ti mesmo: "Não escolho nem prazer nem dor, mas desejo unicamente conformar-me à vontade de Deus". Procura amar-me em todas as coisas, igualmente: na doença, na saúde, na vida, na morte, na riqueza ou na pobreza, no prazer ou na dor, na consolação ou na desolação.

Não te tornes demasiadamente apegado nem mesmo à perfeição. Uma vez que agora não me podes servir perfeitamente, oferece-me tua insatisfação. Agora, deseja tão somente servir-me o melhor que podes. Que teu único desejo seja agradar-me na situação em que estiveres.

Em resumo: cuidado para não te apegares a coisa alguma terrena, especialmente ao prazer. Sei muito bem que o corpo e o espírito necessitam de descanso. O que fazes a ti mesmo, fazes a mim. Quando te alegras com um prazer sadio, eu participo de tua alegria, porque estou contigo e em ti. Não escolhas um prazer do qual eu não possa participar contigo. Procura-o no tempo em que eu possa aprová-lo. Procura-o no grau que eu desejo. Pergunta-te, de vez em quando, no meio de teu prazer: "Eu o deixaria de uma vez, se soubesse não ser da vontade de Deus? Posso deixar isto, neste momento, sem me perturbar?".

Para ser totalmente um outro eu deves ser todo meu, desejando fazer apenas a minha vontade. Quanto mais "puro" fores, quanto mais "limpo" for teu coração, mais plenamente eu viverei contigo.

O SEGREDO: APEGAR-SE A CRISTO

"... vesti-vos do homem novo..." (Ef 4,24).

Agora, ensinar-te-ei um grande princípio: esforça-te menos por desprender-te e mais por prender-te... Concentra teus esforços em te enriqueceres mais de mim do que em te esvaziares de ti mesmo. Permite-me entrar em ti e farei sair tudo o que seja alheio a mim. Deixa-me inundar-te com minha graça para livrá-lo de todos os vínculos terrenos. Este é o caminho tranquilo para chegar à pureza de coração. Caminho fácil, seguro. Tens de dominar muitas tendências naturais. Mas haverá uma predominante. Qual é teu prazer ou paixão dominante? Talvez não o saibas. Pergunta-me e ajudar-te-ei a descobrir.

O que é que mais te perturba? O que é que mais te inquieta? Qual é o amor, o desejo, que te parece mais difícil submeter à minha vontade? É a impureza? São os maus companheiros? É o orgulho desordenado? O amor ao dinheiro? O desejo de ser louvado? A tagarelice? A impaciência?

Podes conhecer aquilo a que estás mais apegado, pelas coisas que mais facilmente te irritam. Em geral, ficas irritado quando, lendo o teu jornal, alguém te molesta? Então estás apegado à tua tranquilidade e à leitura do jornal. Ficas irritado quando alguém te contradiz? Então estás apegado aos teus pontos de vista. Sentes inveja quando outros são promovidos? Então estás apegado ao desejo de ser conhecido, de ser promovido, ou talvez, de enriquecer. Ficas contrariado quando outros são convidados para banquetes? Então estás apegado ao prazer da comida.

Examina-te seriamente, pede-me luz e te mostrarei qual é o defeito-chave que impede a tua identificação comigo. Quando o tiveres descoberto, faze a substituição com a virtude contrária. Estuda em mim qual é a virtude diretamente oposta ao teu vício predominante. Lendo os Evangelhos, descobrirás como a pratiquei e em que circunstâncias.

És orgulhoso? Considera minha humildade e *imita-a*.

És avarento? Observa minha generosidade e *imita-a*.

És invejoso? Observa minha benevolência e *imita-a*.

És intemperado no comer e no beber? Observa minha temperança e *imita-a*.

És inclinado à cólera? Observa minha paciência e *imita-a*.

És sensual? Observa minha pureza e *imita-a*.

És preguiçoso? Gastas demasiado tempo na recreação, no sono, na leitura, nos programas de televisão, na conversa? Estuda o modo como eu empregava o tempo e *imita-me*.

Planeja a prática da virtude de que mais necessitas. Visualiza exatamente as circunstâncias em que te encontras hoje e nas quais poderás praticar esta virtude. Fala comigo sobre teu plano. Lembra-te dele de vez em quando, ao longo do dia.

Quando sentires a tentação ou mesmo quando caíres, não desanimes. Pensa como praticarás, no futuro, a mesma virtude em circunstâncias semelhantes.

Volta-te para mim. Relembra como eu a pratiquei e reza assim: "Senhor, ajuda-me; Jesus, ensina-me. Mestre, dá-me forças".

Em tudo procura a minha ajuda e a acharás. Pede a minha mãe que estenda a mão e ela jamais deixará de fazê-lo.

Reza agora, esta oração de oferecimento:

Senhor, eu te ofereço minha vida e aceita, de boa vontade, as alegrias e tristezas que me sobrevierem.
Eu te ofereço meus bens terrenos, e se for tua vontade que eu os perca, esta será também minha vontade.
Eu te ofereço minha família e meus amigos.
E aceito desde agora, o momento e as circunstâncias que me irão separar deles.
Eu te ofereço minha morte com todas as dores que possam acompanhá-la.
Não quero prolongar nem diminuir minha vida por um só momento.
Eu te ofereço o sofrimento daqueles que amo.
Sofrimentos muitas vezes mais difíceis de suportar do que os meus.
Eu te ofereço as decepções, as injustiças,
os pesares que sobrevierem aos que me são queridos,
em união com Maria que ofereceu seus sofrimentos na cruz.
Ajuda-me, ó Cristo, a desapegar-me.
Enriquece-me com tuas virtudes.
Que a tua vontade seja a minha vontade.
Pede-me o maior dom que posso fazer: o dom de mim mesmo.
Em compensação, oferece-me o maior dom de Deus: o dom de ti mesmo.
Ajuda-me, ó Mestre, a ser generoso, desprendido, perseverante.
Transforma-me em ti.
Assim como o sacerdote muda o pão e o vinho no teu corpo e no teu sangue, faze de mim uma extensão de ti mesmo, um outro Cristo.

O ESPÍRITO DE POBREZA

> *"Felizes os pobres no espírito..." (Mt 5,3).*

Quero teu coração livre do desejo dos bens terrenos.

O que é essencial não é a privação destes bens, mas a pobreza de espírito. A raiz do mal não é o dinheiro, e sim o amor ao dinheiro. O que prejudica a pessoa não é a riqueza, mas a avareza. Os bens estão fora de ti; o desejo deles, porém, está dentro de ti. E é do coração do ser humano que nascem os males. Por isso, deves ter cuidado para que a posse de bens não gere em ti a ganância. Onde estiver o teu tesouro, aí estará teu coração. Por isso, não procures acumular tesouros na terra. Deixa teu coração repousar tranquilamente em mim.

Somente procedendo assim, poderás viver em paz e serenidade. Não pode haver paz na gananciosa procura das coisas materiais.

Não te preocupes demasiadamente com a vida, em como providenciar o alimento, a bebida e as vestes. A vida em si mesma já é um dom mais precioso do que o alimento e a roupa. O Pai do Céu que te deu a vida não te dará tudo o mais? Ele alimenta as aves que não plantam nem colhem. Porventura, não és mais do que elas?

Os que não têm fé preocupam-se com as coisas materiais. Tens um Pai no céu que conhece as tuas necessidades. Procura primeiro o Reino de Deus e terás tudo o que precisas.

Não é minha vontade que todos sejam materialmente pobres, mas que todos sejam pobres de espírito. É possível ser pobres das coisas materiais e ter um espírito orgulhoso. Mas também podes ser rico como um soberano e ser verdadeiramente pobre de espírito. Podes também não ser nem pobre nem rico e praticar a pobreza de espírito.

Já te mostrei, com meu exemplo, como praticar a pobreza cristã em qualquer condição de vida.

Eu, o Filho de Deus, vim ao mundo sem possuir nada. Uma gruta abandonada, uma manjedoura tosca e pobres faixas formavam meu berço.

Ainda criança, tive de fugir com meus pais, Maria e José, de minha pátria para o Egito, porque Herodes procurava matar-me.

Deixei o mundo, morrendo na cruz, na mais absoluta pobreza. Arrancaram minhas vestes e alguns soldados sortearam entre si o meu manto. A cruz, meu leito de morte, não me pertencia, como não me pertenciam os pregos que me atravessaram os punhos e os pés.

Ofereceram-me um sedativo: vinho misturado com fel. E mesmo isto eu recusei.

Para cumprir as Escrituras, fui contado entre os malfeitores. Morri não entre as lágrimas e a tristeza de meu povo, mas entre escárnios. Desfizeram meu bom nome. Zombaram de mim, dizendo: "O Messias, o rei de Israel desça agora da cruz, para que vejamos e acreditemos!" (Mc 15,30-32). Abandonado por quase todos os meus amigos, sofri ainda mais, porque minha mãe presenciava aqueles tormentos e aquelas ofensas.

Portanto, se és pobre, lembra-te de que fui mil vezes mais pobre.

Não te queixes e pede ao Pai forças para saíres dessa situação.

Se és realmente pobre, considera-o como uma grande bênção. Isto porque assim é que o permito, mas não permitirei que fiques sem minha graça, com a qual transformarás tua pobreza em alegria eterna. Aceita, pois, tua pobreza atual com simplicidade e com resignação. A pobreza em que vives por minha vontade não é uma ocasião menor de me amar do que a pobreza voluntária que poderias escolher por tua própria vontade.

Provavelmente será muito mais difícil aceitar a humilhação da pobreza atual do que contentar-se com a pobreza voluntária, a qual, frequentemente, é objeto de admiração e respeito por parte de teus conhecidos.

Não fujas a esta cruz, a este privilégio, que é a pobreza. Unida à minha vontade, oferece-a ao Pai. Não te envergonhes de aceitar a caridade, de pedir, se necessário. Oferece aos outros a oportunidade de me servirem, servindo a ti, porque tudo o que fazem a ti, fazem-no também a mim. Por tua humildade, concede-me o privilégio de ser servido por eles, como desejo ardentemente. Talvez tua pobreza seja um meio para que eles consigam a salvação eterna.

O BOM USO DOS BENS

> *"... usai o dinheiro, embora iníquo,
> a fim de fazer amigos..." (Lc 16,9).*

Se és rico, lembra-te de que fui mil vezes mais rico. Porventura não me pertence todo o mundo e tudo o que nele existe?

Que homem jamais gozou das belezas da criação como eu? Que soberano pode dar ordens aos ventos e às ondas, multiplicar os pães e os peixes, curar os doentes, dar vista aos cegos, ressuscitar os mortos?

Que riquezas ou que forças há que não tenham estado à minha disposição? Mesmo na cruz pude oferecer o paraíso ao bom ladrão.

Há prazeres ou conhecimentos no mundo que eu não tenha possuído? Minha mãe foi a mais bela de todas as criaturas, a rainha dos céus e da terra.

Aprende de mim, tu que és rico. Coloca teus bens a teu serviço, e não permitas que se tornem teus senhores. Atenção para não te tornares demasiado preso aos bens da terra! Sentes orgulho de teus bens? Vives preocupado com eles, pensando neles constantemente? Se é assim, toma cuidado. Ficas terrivelmente perturbado, quando perdes alguns de teus bens? Examina bem teu coração para ver onde estão tuas afeições.

Eu não acumulei riquezas, mas usei-as generosamente para a saúde, a alegria e o bem-estar de meus concidadãos. Tu também deverias dar frequentemente de tuas riquezas aos que são verdadeiramente pobres. Priva-te de algumas. Assim serás senhor de teus bens e estarás livre da afeição demasiada a eles.

E faze mais. Ama os pobres. Procura-os. Convida-os para a tua casa. Visita-os. E, se fores perfeito no espírito de pobreza, não hesitarás em fazer-te servidor dos pobres. Luís, rei da França, servia aos pobres em sua mesa. Com suas mãos mudava-lhes as ataduras das chagas. Era um rei realmente pobre de espírito. Isabel, princesa da Hungria, também praticava a pobreza espiritual, visitando os pobres.

Quando os discípulos de João Batista vieram ter comigo para me conhecer, porventura não lhes dei, como sinal, que os pobres recebiam a Boa-Nova?

Ainda que sejas rico, podes praticar a pobreza nestas diversas formas. Mas poderás também praticar frequentemente certa pobreza quando te vires privado deste ou daquele bem que muito desejas. Quando ofereces um jantar e o serviço não sai como desejas, ficas perturbado diante de teus convidados? Aceita calmamente este tipo de pobreza.

Vais dirigindo teu carro e ele começa a falhar? Aceita esta inconveniência, com calma. O mau tempo te obriga a parar longe de teu destino? Conserva a serenidade. Cometes uma deselegância ou involuntariamente ofendes alguém? Aceita esta humilhação. Isto também é pobreza e deve ser recebido como verdadeira pobreza de espírito.

Talvez não sejas nem rico nem pobre. Por isso, não podes praticar a pobreza nem do rico nem do esmoler. Mesmo assim, deves ser pobre de espírito. Eu já te mostrei como. Usa os bens terrenos que tens ou de que necessitas, mas nunca deixes teu coração apegar-se a eles.

Lembra-te de como usei os barcos de meus apóstolos quando deles precisei, como visitei a casa de Pedro em Cafarnaum; a de meus amigos Maria, Marta e Lázaro em Betânia; e a de Zaqueu, o publicano, em Jericó? Mas quando estas coisas não foram necessárias, não estavam à minha disposição, e eu nem tinha onde repousar a cabeça, aceitei tudo isto com tranquilidade.

Jejuei quarenta dias, mas também participei de um banquete com Mateus e seus amigos, e com Simão, o leproso. Estive presente à festa de casamento em Caná. Jantei com Simão, o fariseu. Os fariseus julgaram-me um aproveitador, porque participava de festas daqueles aos quais eu vinha salvar.

Percebes a lição que quero te ensinar? Sê indiferente aos bens da terra, mas usa-os sabiamente. Não te angusties querendo adquirir mais do que tens. Não deixes teu coração ser presa dos bens que possuis. Cuida deles racionalmente, lembrando-te de que tudo me pertence e que és meu administrador. Com espírito tranquilo, procura não somente conservá-los, mas até aumentá-los, quando for possível fazer isso com justiça, para manter teu estado de vida. Tem cuidado, porém, com o apego às coisas. Isto é verdadeiro amor-próprio! Não hesites em repartir teus bens com o teu próximo.

Dá de acordo com as tuas possibilidades, qualquer que seja tua condição de vida. Quanto menos riquezas tiveres para dar, tanto mais poderás oferecer outros bens. Lembras-te de Pedro, quando disse àquele pobre paralítico: "Não tenho ouro nem prata, mas o que tenho eu te dou" (At 3,6). E em meu nome, restituiu-lhe o uso dos membros.

Dá o que tens a teu próximo: tuas orações, tua boa acolhida, teu sorriso, tua bondade, tua consolação, tua simpatia. Dize-lhe: "Deus o abençoe", bata-lhe amigavelmente no ombro; dá-lhe um alegre "bom-dia". Nada recuses. Dá generosamente, de acordo com tuas possibilidades.

Assim praticarás verdadeira pobreza cristã e um dia eu te direi com infinito amor: Vem! És bem-aventurado, porque és pobre de espírito. Teu é o Reino do Céu!

A ESMOLA DA VIÚVA

> *"... ela, da sua pobreza, ofereceu tudo o que tinha para viver"* (Mc 12,44).

Um dia, meus discípulos e eu observávamos os ricos depositarem dinheiro no tesouro do Templo, quando uma pobre viúva veio e depositou duas moedinhas. E eu disse: "Esta viúva pobre deu mais do que todos os outros que depositaram no cofre. Pois todos eles deram do que tinham de sobra, ao passo que ela, da sua pobreza, ofereceu tudo o que tinha para viver" (Mc 12,43-44).

Qual a lição deste fato? Que a oferta é menos importante do que o espírito com que é feita.

Se com amor me ofereces tudo, não importa que seja pouco. Tem maior valor aos meus olhos do que o muito oferecido por aqueles que têm em abundância.

Teu "óbulo da viúva" não é somente o dinheiro, é tudo: é o bem material, o espiritual, o mental, são os bens sociais que possuis. Oferece-os todos a mim. Prontifica-te a me oferecer tudo o que tens, mesmo aquilo que te é mais caro, até mesmo a tua paz de espírito, se assim for minha vontade.

Com minha graça é possível uma tal pobreza de espírito. Abraão estava pronto a sacrificar Isaac, seu único filho, por causa da palavra divina. Jó perdeu todos os seus bens, sua saúde e até seus filhos. Contudo, não se afastou de seu Criador. Minha mãe viu-me morrer na cruz, mas nenhuma queixa saiu de seus lábios.

Da mesma forma que eles não permitiram que coisa alguma impedisse o caminho de minha vontade divina, assim, se fores completamente um outro eu, desprender-te-ás de qualquer apego que nos possa separar. No momento em que compreenderes que nada te pertence, acharás mais fácil praticar este desapego.

Mesmo teus bons pensamentos não te pertencem; pertencem ao Espírito Santo. Nada é teu: nem os bens espirituais, nem a consolação, nem a oração, nem os santos desejos. Todos são dons meus.

Se te ofereço consolações que te aproximam mais de mim, sê agradecido. Não as procures, porém, nem te apegues a elas. Se te permito desolação, desprendendo-te dos desejos e afetos terrenos, levando-te pela noite escura dos sentidos e do espírito a uma união mais íntima comigo, sê mais agradecido ainda. As noites escuras são uma bênção muito maior do que a consolação, porque são o caminho seguro de meus escolhidos para uma união mais íntima comigo. Não te alarmes nem desanimes. Entrega-te completamente a mim. Dize-me que fazes minha vontade não porque te traz alegria, mas unicamente porque me amas.

Se nada é teu, então não te pertences. Apesar de saber que pertences a teu Criador, frequentemente procedes como se fosses a origem de todas as tuas qualidades e talentos, como se fosses dono de ti mesmo.

Medita nesta verdade: és minha criatura, totalmente minha. Se o fizeres, encontrarás facilmente a mais viva consolação: saber que pertences ao Deus todo-bondade, Todo-Poderoso, todo-amor. E se lhe pertences, ele certamente cuidará de ti com incomparável ternura. Como é admirável, como é tranquilizador saber que se pertence a Deus! Podes imaginar algo mais sublime?

Prende-te somente a mim. Não te apegues a nada, nem mesmo ao teu bom nome. Julga-te feliz quando os homens te ultrajarem, te perseguirem, falarem mal de ti sem razão e por causa de mim. Alegra-te ao ser despojado de teus bens.

Sentes alegria quando te ultrajam ou te perseguem por causa de mim? Ou sentes indignação e revolta? E bom defender a verdade e opor-se àqueles que querem impedir a vinda do Reino de Deus. Mas tem cuidado para que teu zelo seja realmente pelo meu Reino.

Aprende a amar minha vontade. Não somente deves aceitar tudo o que te envio, mas também amar a vontade que o envia.

Quando amares de verdade minha vontade, então estarás completamente despreocupado a respeito dos acontecimentos, pois o que acontece é por desígnio meu. Muitos de meus santos chegaram a um estado de quase completa indiferença, nada desejando, nada recusando, nada pedindo a não ser a graça de conhecer e de fazer a minha vontade.

Teresa, no seu ato de oblação, pedia a graça de chegar à posição que eu lhe destinei no céu, sem se preocupar se seria superior ou inferior. Minha vontade era seu único desejo, porque ela me amava.

Imita-a e aceitarás, com igual amor, desolação ou consolação, sol ou chuva, pobreza ou riqueza. Olharás tranquilamente para o futuro. Pensarás e dirás no mais profundo de teu coração: "Tua vontade seja feita qualquer que seja. Nem quero preocupar-me indevidamente em conhecê-la". Procede assim, e terás minha paz.

CRISTO NOS QUER TOTALMENTE

"[Ele] Carregou nossos pecados em seu próprio corpo"
(1Pd 2,24).

Não sejas demasiadamente curioso sobre teu progresso na vida espiritual. À medida que fores fiel à minha graça, eu irei acomodando teu crescimento à tua capacidade. Entrega o progresso de tua vida espiritual a mim. Dize-me:

"Em tuas mãos, Senhor, entrego meu passado, meu presente e meu futuro".

Exijo de ti o progresso, mas conduzo-te delicadamente. Tens de aprender muitas coisas novas e esquecer muitos desejos mundanos. Tens de aprender, pelo jejum, a mortificação dos sentidos. Deves aprender a aceitar tranquilamente as mortificações que te são impostas, primeiramente aquelas que vêm de teu estado de vida. Deves aprender a prática da mortificação interior, negando-te ao desejo de vangloriar-te pelos sucessos, ou por tuas qualidades naturais. Deves aprender a apreciar as mortificações espirituais que te sobrevêm: a desolação, a aridez, as acusações injustas.

Deves aprender a avaliar as injustiças e privações, especialmente as de tua família. Como é difícil para uma mãe ou para um pai suportar ofensas ou injustiças feitas a seus filhos, vê-los indefesos.

Não és o primeiro a suportar tais sofrimentos. Terá sido fácil para minha mãe trazer-me à luz numa gruta que servia de estábulo? Ter-lhe-á sido fácil fugir comigo da ira assassina de Herodes? Ter-lhe-á sido fácil encontrar-me no caminho da cruz, ficar diante do patíbulo vendo a terra seca absorver o sangue que escorria de minhas chagas? Ter-lhe-á sido fácil receber-me em seus braços, quando finalmente retiraram meu corpo da cruz, e colocá-lo no túmulo?

Pensas que os acontecimentos de sua vida foram mais fáceis de suportar? Não, ela não sabia o que encontraria no Egito, nem quando José morreria, nem como eu seria recebido por aqueles aos quais tinha vindo salvar. Ela não sabia o quanto eu teria de sofrer. Sabia somente que o Pai protege aqueles que fazem a sua divina vontade. Maria aceitou os meus sofrimentos, porque amava a vontade de Deus. E eu aceitei os sofrimentos dela, porque esta era a vontade de meu Pai, e eu amava esta vontade.

Tu também deves aproveitar as mortificações que te sobrevêm daqueles que te são queridos. Os pais devem proteger seus filhos contra qualquer mal, mas devem ensinar-lhes, também, a enfrentar as humilhações e a dor. Devem eles mesmos guardar no mais íntimo de seu ser o sofrimento que a dor de um filho traz ao coração de pais amantes, como Maria guardava na alma as suas dores. É uma lição difícil de se aprender, e mais ainda de se praticar.

Ao passo que avançares em meu caminho, oferecer-me-ás mais e mais. Oferecerás a aceitação de tua situação presente e o que o futuro puder trazer. Oferecerás tua própria morte, a aceitação do purgatório e o lugar – qualquer que seja – que te designar na minha corte celeste.

Deverás ser desapegado a ponto de rezares para que todos me amem mais e me sirvam melhor do que tu. Sabes que me amas, e nesta oração colocar-te-ás como o "menor" no meu Reino. Este será teu desejo: ser a menor das pessoas, por assim dizer, ficar à porta do céu, contanto que saibas que, de fato, eu sou amado por todas as minhas criaturas. Pensarás, então, não em ti, mas somente em mim; não em tua generosidade para comigo, mas na generosidade que todos deveriam ter para comigo; não no que fazes, mas no que deveria ser feito em meu serviço. E isto me agradará indizivelmente.

Não te esqueças, porém, de me oferecer também teus próprios pecados. Se te recusas a oferecer-me teus pecados, como poderei ficar livre para mandar-te as provações de que necessitas para aprenderes a amar de verdade minha vontade? Oferece-me teus pecados e estarei livre para mandar-te os sofrimentos de que necessitas. Não o recuses. E se disseres: "Não, Senhor, não é justo que eu os ofereça a ti", então hesitarei em mandar-te os sofrimentos de que necessitas, porque poderias dizer também: "Senhor, não é justo".

O que eu disse a Pedro quando ele não quis permitir que eu lavasse seus pés, poderia dizer-te também: se eu não o fizer, não serás meu amigo. Se não me ofereceres as tuas faltas e os teus pecados, não poderás ser meu outro eu.

Dize-me: "Recebe, Senhor, os meus pecados, e dá-me provações e sofrimentos. Recebe minhas impurezas, minhas queixas, minha desobediência, minha preguiça, minha falta de bondade, minha impaciência, minha avareza, minhas faltas de respeito, meus roubos, minhas mentiras, minhas iras, minha intemperança, meu orgulho. Recebe todas estas minhas faltas e pecados e purifica minha alma com uma gota de teu precioso sangue. Enfim, *ensina-me a amar tua vontade*. Sou teu, Senhor! Pertenço somente a ti! Eu te amo mais do que a mim mesmo".

Serás pobre em espírito, porém, incomparavelmente rico em mim; serás desapegado dos bens terrenos, mas inseparavelmente ligado a mim. Não terás nada e possuirás tudo.

6. A VIRTUDE

A HUMILDADE

"Haja entre vós o mesmo sentir e pensar que no Cristo Jesus" (Fl 2,5).

Se tivesses estado presente à última ceia, terias aprendido duas lições. Terias aprendido a amar: "Eu vos dou um novo mandamento: amai-vos uns aos outros. Como eu vos amei, assim também vós deveis amar-vos uns aos outros" (Jo 13,34). E terias aprendido a humildade, porque eu teria lavado os teus pés.

A humildade não consiste em atos exteriores, ainda que estes sejam motivados por ela. A humildade é interior. É uma disposição interna de conhecer a verdade sobre si mesmo, de aceitá-la e de viver de acordo com ela. É a base sólida sobre a qual deves levantar tua vida espiritual.

Pela humildade meus santos tornaram-se dignos do amor da Santíssima Trindade. Aprende a humildade de Maria. Ela, a Mãe do Altíssimo, a mais favorecida de minhas criaturas, jamais se orgulhou. Reconheceu, aceitou e viveu a verdade sobre si mesma, cumprindo perfeitamente o seu dever. Apesar de saber que era bendita entre todas as mulheres da terra, não se retirou na solidão, esperando que o mundo reconhecesse sua grandeza e viesse servi-la. Sabendo que Isabel, sua prima, estava no sexto mês de gravidez, foi imediatamente ajudá-la e ficou com ela durante três meses. Depois, com admirável respeito, partiu, porque Isabel deveria gozar a alegria do filho de sua velhice e ser a rainha do lar. Nisto ninguém deveria interferir. Depois de ter prestado seus serviços à prima, Maria logo se retirou. Humildade!

Minha Virgem Mãe, ultrapassando de muito a José em graça e em dignidade, submeteu-se a ele em todas as coisas que diziam respeito ao governo da família. A José o anjo apareceu quando foi necessário fugir para o Egito. A José o anjo trouxe a notícia da morte de Herodes e a mensagem de que já podia voltar para a Palestina. E, apesar de sua dignidade ultrapassar a de todos os anjos, Maria obedeceu a José incondicionalmente.

Aprende também a humildade de João Batista, o maior profeta dentre os filhos dos homens. Medita em seu desprendimento, em não deixar o Jordão para me procurar e depois de me descobrir, em não me seguir fisicamente. "Ninguém pode receber coisa alguma", disse João, "se não lhe for dada do céu" (Jo 3,27).

E, assim, João permaneceu no Jordão fazendo seu dever até o dia em que Herodes o lançou na prisão por dizer a verdade de Deus.

Aprende a humildade do Filho do Homem que, como criança, obedecia às suas próprias criaturas; o que disse a João, no batismo: "... devemos cumprir toda a justiça!" (Mt 3,15). Ele pagou o tributo do Templo para que ninguém se escandalizasse. Seus lábios muitas vezes repetiram a frase de obediência: para que se cumpram as Escrituras.

Tornei-me um ser humano, um servidor, uma criatura, não exigindo ficar imune daquilo que acontece à humanidade: viver na terra, entre dores e castigos, frutos do pecado. Sabendo plenamente o que este fato me traria, jamais murmurei, muito menos me revoltei contra os erros, as injustiças e os tormentos que me sobreviriam.

Submeti-me em tudo às minhas criaturas. Insultaram-me, chamaram-me de louco, desprezaram-me como o mais vil dos seres: o demônio. Prenderam-me, açoitaram-me, bateram em mim, zombaram de mim e cuspiram em mim. Como reagirias a tais ultrajes de criaturas cujas vidas estivessem em tuas mãos, criaturas que não pudessem mover-se e menos ainda existir sem tua vontade?

Atravessaram, com pregos, os meus pés e as minhas mãos. Deixaram-me pendente do madeiro da cruz, morrendo lentamente, enquanto minha mãe observava tudo aquilo. Suportarias tudo isso?

Mas era vontade de meu Pai que eu sofresse, e por isso, era também a minha vontade.

Adão e Eva tinham somente de obedecer. Mas, apesar de todas as vantagens que lhes tinham sido apresentadas, não quiseram aceitar a supremacia do Criador.

Eu reparei seu pecado, obedecendo em todas as coisas, mesmo quando o demônio arremessava toda a sua fúria contra mim. Abatido, no jardim, pelos pensamentos de agonia, diante da expectativa de ter de suportar sobre meus ombros os pecados da humanidade, entregue a mim mesmo, à terrível tentação de recusar sofrer os mais horríveis tormentos, não obstante submeti-me inteiramente: "não seja feita a minha vontade, mas a tua!" (Lc 22,42).

Isto é humildade. Aprende de mim!

CRISTO, NOSSO MODELO

"... sede discípulos meus, porque sou manso
e humilde de coração" (Mt 11,29).

Talvez penses que não posso ser teu modelo na humildade, porque sendo Deus, sou onipotente. Se pensas assim, estás enganado. Porventura, em Belém, servi-me de minha divindade para providenciar abrigo e conforto para a Sagrada Família? Quando Herodes procurou tirar-me a vida, porventura me salvei pela onipotência? José e Maria não tiveram de empreender comigo uma longa e difícil fuga, como qualquer outra família teria feito?

Acaso minha infância foi diferente da de outras crianças? Meus compatriotas em Nazaré só me conheciam como o filho de Maria e José. Meus parentes, ouvindo minha pregação pública, julgaram-me um louco.

Quando, depois de jejuar quarenta dias no deserto, senti fome e fui tentado por Satanás para fazer das pedras pão, porventura me servi de minha onipotência? Quando tive sede, não pedi água à beira do poço de Jacó, como qualquer outro homem? E quando miraculosamente multipliquei pães e peixes, eu o fiz para os outros e não para mim. Quando estava cansado, eu dormia; quando Lázaro morreu, chorei; quando fui maltratado e mal-entendido, entristeci-me, como tu o farias em semelhantes situações.

Medita em meus milagres e verás que foram feitos para ajudar os necessitados e para provar minha divindade, a fim de que os homens cressem em mim e se salvassem. Jamais usei meu poder sobrenatural em meu proveito, mas sempre para realizar os desígnios de meu Pai.

Quando os inimigos me perseguiam, afastava-me de Jerusalém, usando os meios naturais de segurança comuns a todos os homens. E quando enfim, chegou a minha hora, livremente me entreguei em suas mãos. Apesar de ter podido livrar-me com um simples pensamento, permiti ser condenado à morte por uma de minhas criaturas. Apesar de eu ter podido evitá-lo com um simples olhar, permiti que me flagelassem impiedosamente, que me coroassem com espinhos. Carreguei minha cruz, caindo e levantando-me, aceitando a ajuda dos braços fortes de Simão, as atenções piedosas de Verônica, porém, nada fiz para aliviar minha agonia. Recusei o sedativo que me ofereceram para que as dores não diminuíssem. Na cruz, perdoei o ladrão, numa manifestação de minha divindade. No entanto, não desci de meu leito de tormentos.

Sim, posso ser teu modelo. Eu sou teu modelo.

Agora, apliquemos isto à tua vida. Para ti como para mim, o Pai pronunciou sua palavra terna, uma "palavra" que contém tudo o que tua vida deve ser. Tua obrigação, como a minha, no que diz respeito à minha humanidade, é viver de acordo com a "palavra" do Pai, nada desejando, nem recusando tristezas ou alegrias. Esta palavra é o plano de Deus acerca de tua vida e de teu lugar na eternidade. És uma peça deste admirável "quebra-cabeça" que é o plano eterno.

Como uni minha vontade à palavra de meu Pai acerca de minha vida na terra, assim deves unir tua vontade à palavra dele acerca de tua vida. O mundo está cheio de pecados e de pecadores. Tua vida também terá monotonia, fadiga. Deverás suportar injustiças, insultos, ofensas à tua pessoa, talvez mesmo a perseguição e a morte. Aceita tudo. Dize a meu Pai: "Senhor, eis aqui teu servidor. Seja cumprida a tua vontade!".

Não te revoltes contra teu Criador. Ele não quer estas coisas, mas as permite, porque deu liberdade aos seres humanos, liberdade para amar, para odiar, para obedecer e para pecar. Revoltar-se é recusar a reconhecer que és pecador e que o mundo é um mundo de pecado. É indignar-se pelo fato de teus semelhantes serem livres. E recusar-se a reconhecer tua posição como minha criatura. É recusar a humildade e dar acolhida ao orgulho.

Não peço que sejas passivo diante do mal. Teu dever é procurar remediar tais condições como for possível, racionalmente. Mas enquanto procuras a melhora, não te queixes, muito menos te revoltes contra minha divina providência.

Para ser humilde é necessário que te aceites a ti mesmo, como na verdade és: um ser criado do nada, existindo somente por minha vontade, dependente inteiramente de mim, incapaz de qualquer bem sobrenatural a não ser por meio de mim.

E isto não é tudo. Ainda que sejas pecador, foste remido por mim; és um herdeiro da majestade eterna; és um filho de Deus, és um outro Cristo, amado por meu Pai como eu. Qual não deveria ser tua alegria, sabendo que meu Pai te ama como ama a mim!

Esta é a verdade. E porque eu sou "a Verdade", podes compreender como devo amar a humildade e odiar o orgulho. O orgulho é uma mentira, uma usurpação dos direitos divinos. É a subordinação de teu Deus a uma de suas criaturas. Não posso deixar de ser Deus, não posso ceder-te minhas prerrogativas, não posso substituir meu plano divino a respeito da criação pelo teu plano.

Como detesto o orgulho, vício capital, pecado de Lúcifer, pecado de Adão e Eva, que trouxe a discórdia e o sofrimento ao mundo! É o orgulho que semeia a completa desunião entre Deus e o homem, que fecha a porta diante de minha divina graça, que, em certo sentido, torna inútil minha paixão e morte.

Porque sou Deus, devo resistir aos orgulhosos e exaltar os humildes.

PROGRESSO NA HUMILDADE

"... me comprazo nas fraquezas... por causa de Cristo"
(2Cor 12,10).

És humilde? Vejamos!

Gostas de falar de ti mesmo, bem ou mal? Gostas de sobressair na conversa ou de monopolizá-la? Gostas de discutir, demonstras ira, sarcasmo ou gostas de levar os outros ao ridículo? Guardas na memória as humilhações e recusas corrigir-te desculpando-te, ou culpando os outros, quando as coisas não vão bem? Reclamas pelo modo como és tratado? Mostras-te mal-humorado quando perdes num jogo? Desprezas os outros quando estás ganhando? Achas difícil obedecer aos teus superiores? Recusas obedecer aos que são iguais a ti, ou mesmo inferiores?

O fato de teres alguns destes defeitos não significa que és orgulhoso. Podem originar-se de um desejo imaturo de ser como os outros, ou talvez, de complexos de inferioridade. Contudo, são sinais de perigo.

Examina-te e admite tuas faltas. Depois, pede-me ajuda e far-te-ei participante de meu infinito tesouro de virtudes. Precisas de meu auxílio? Pede-o! Minha vontade é dar, e dar com abundância, sem medidas. Queres humildade? Pede-me. Queres pureza, fé, confiança, amor, santidade? Pede-me todas as virtudes de que necessitas. Farás maiores progressos num único momento de oração fervorosa pedindo a participação em minhas virtudes, do que numa vida inteira, esforçando-te sozinho.

Pede-me humildade e atenderei o teu pedido. Começarás a ser mal-entendido, a não receber certas atenções, a ser censurado, talvez até ridicularizado. Quando isso acontecer, lembra-te de me agradecer por te oferecer estas ocasiões preciosas de praticar a brandura, silenciando palavras duras e amargas, refreando a expressão desnecessária de tuas opiniões pessoais, não objetando às opiniões dos outros.

São lições difíceis e às vezes duras. Ser humilde é difícil quando procuras não ceder à tentação de ser ríspido ou mal-humorado com os outros. Mas estarei sempre pronto a ajudar-te a te elevares a mim e a dizer-me que queres aprender essas lições, que não as esquecerás, porque sabes que sou eu que as ensino e que meu ensinamento é perfeito.

Logo, sem razão aparente, sentirás que a tensão diminui. Acharás, depois de algum tempo, que se tornou até simples falar pouco de ti mesmo, evitar a curiosidade, aceitar a correção, não fazer demonstração de teus talentos.

Começarás a aceitar tranquilamente repercussões por coisas das quais não és culpado, a receber as faltas de consideração com um sorriso, a ficar sereno diante de tuas falhas e de teus erros. Sentirás alegria ao ser ridicularizado, aceitando tua pequenez.

Poderás ter, naturalmente, períodos alternados de fracassos e de sucessos. Muitas vezes sentirás que não estás tirando proveito destas lições de humildade.

Refreias a língua, dominas o impulso de recusar alguma tarefa modesta, procuras tirar de teu espírito a ideia de que não és estimado. No entanto, quando dás as costas e deixas a sala com o fim de evitares a irritação, percebes que não estás conseguindo praticar a humildade. Estás experimentando que ainda não és humilde.

E quando caíres, o que acontecerá inevitavelmente, tua contrariedade será dolorosa. Mas, se te levantares, aprenderás finalmente esta verdade profunda: que deverias aceitar essas decepções de uma forma diferente, que deverias dizer para ti e para mim: "Quero esta decepção, porque a mereço e porque é bom para mim. Não é do meu gosto, porque me fere, mas eu a aceito".

Chegando a este ponto, sentirás como se fosse resolvida uma charada. Verás claramente que a humildade não consiste em gostar de humilhações, mas somente em desejá-las, em acolhê-las, talvez mesmo em procurá-las, mas de forma alguma em gostar delas.

Os mártires não gostavam da dor. João Batista não gostou de ficar no Jordão, quando poderia estar comigo. José e Maria não gostaram de fugir comigo para o Egito. Maria não gostou de estar no Calvário, e eu não gostei de morrer na cruz. Mas quanto mais nossos sentidos e gostos diziam não, mais nossas vontades diziam sim.

Não precisas nem chegar a gostar das humilhações. Mas sendo grande o teu desgosto para com elas, maior será a oportunidade que terás de me servir e de remir as pessoas, desejando-as.

Lembra-te de que qualquer coisa que te acontecer não será um castigo demasiado severo pelos teus erros do passado. Como Francisco de Assis, inclina a cabeça aos seres coberto de insultos, reconhecendo que mereces injustiças por não teres voltado mais cedo para o teu Deus; por não o teres servido melhor; por não teres agradecido seus favores; por não teres apreciado os muitos perigos de que te livrou; por não teres correspondido à abundância de suas graças. Num sentido, não haverá, então, certa alegria em unir teus sofrimentos aos meus? Dize com Paulo: "de bom grado, me gloriarei das minhas fraquezas, para que a força de Cristo habite em mim; e me comprazo nas fraquezas, nos insultos, nas dificuldades, nas perseguições e nas angústias por causa de Cristo. Pois, quando sou fraco [quanto às forças da natureza], então sou forte [na graça]" (2Cor 12,9-10).

O SEGREDO DA PAZ

"Humilhai-vos diante do Senhor, e ele vos exaltará"
(Tg 4,10).

Ao progredires na humildade, deves estar bem atento às possíveis intromissões do orgulho. O espírito do mal te levará a comparar teu estado com o dos outros e a estimar tua humildade. Cuidado! O que há de bom em ti, não o deves a ti mesmo, mas unicamente a mim. Fui eu que te inspirei o bem, que alimentei teu pensamento, que facilitei o caminho, que te dei forças contra tua fraqueza, que te guiei através dos obstáculos, que te chamei quando te afastavas, que cuidei de ti com um carinho e amor muito além do que podias esperar. Não te glories de ti mesmo, mas glorifica em tudo ao teu Deus.

Provarei tua humildade não somente mediante tuas próprias humilhações, mas também por meio daqueles que te são queridos. Será uma grande oportunidade de praticares a humildade. Nestas ocasiões, dize a ti mesmo: "Se esta pequena humilhação da pessoa a quem amo é dolorosa, como Maria deve ter sofrido com o aviltamento de Jesus. E nunca disse uma palavra de queixa; jamais pediu para ser valorizada. Porque ela também era uma vítima do amor de Deus".

Outra prova dura será tua disposição de aceitar com igual indiferença o esquecimento ou a fama. Aqueles cujas qualidades estão ocultas por algum defeito e que veem pessoas menos inteligentes avançar enquanto elas vão ficando para trás, deveriam oferecer seu esquecimento a mim. Tais sacrifícios podem ser mais difíceis do que o de um monge ou de uma freira que abandonaram sua posição no mundo e foram ocultar-se num mosteiro ou num convento.

Uma vida obscura mesmo involuntariamente, aceita por um ato de vontade, torna-se verdadeiro sacrifício, um grande ato de amor.

Une tua vida simples à de Maria e José. Tão obscuramente viveram, que a Escritura nem sequer fala da morte deles.

Não fujas, pois, ao esquecimento e à humilhação. Mas lembra-te de que a humilhação, em si, não é humildade. Humildade, como já te disse, é o reconhecimento de teu lugar no meu plano e sua aceitação total. Não deves julgar que a humilhação esteja acima de teu dever, porque isto seria negar a humildade. Tens um dever de caridade de preservar racionalmente teu bom nome, da mesma forma que tens o dever de te esforçar por corrigir o erro. Se injustamente és acusado em assunto de importância, é justo que negues tua culpabilidade. Depois de o teres feito convenientemente, se as acusações continuam, é melhor nada mais dizer e deixar a proteção de teu bom nome a mim.

Igualmente é um bom exercício de humildade não contradizer outrem em assuntos sem importância. Mas seria errado silenciar quando há prejuízo ou pecado e quando a correção pertenceria a ti.

A humildade será o segredo de tua paz de espírito. Porque te assisto quando humildemente tomas meu jugo, ser-te-á fácil viver no meio de afrontas ou pobreza, suportando os trabalhos de cada dia calmamente. Sendo humilde, não serás ambicioso, nem arrogante, nem autossuficiente. Terás um só desejo: o de fazer a vontade de meu Pai. Na atividade, não procurarás fazer isto ou aquilo, mas sempre e em primeiro lugar a vontade de Deus. E assim não ficarás desanimado se sobrevier o fracasso. Sendo humilde, calma e pacificamente procurarás fazer o máximo para satisfazer teus superiores que estão em lugar de Deus; mas não perderás a tranquilidade se, depois de teres feito o que podias racionalmente, eles não ficarem satisfeitos.

Dize, agora, comigo esta oração: "Senhor, humilde e manso de coração, ajuda-me a aprender e a amar a humildade. Refreia minha língua para que eu não fale de mim mesmo. Acalma-me em ocasiões em que esteja para tornar-me impaciente, descontente com minha sorte. Ajuda-me a pensar menos em mim mesmo e mais na Santíssima Trindade e em meus semelhantes, nos quais devo ver a ti".

Ó Jesus, manso e humilde de coração, tem piedade de mim.
Do desejo de ser estimado, livra-me, ó Jesus.
Do desejo de ser amado, livra-me, ó Jesus.
Do desejo de ser honrado, livra-me, ó Jesus.
Do desejo de ser louvado, de ser preferido aos outros, livra-me, ó Jesus.
Do desejo de ser consultado, livra-me, ó Jesus.
Do desejo de ser aprovado, livra-me, ó Jesus.
Do temor de ser humilhado, livra-me, ó Jesus.
Do temor de ser desprezado, livra-me, ó Jesus.
Do temor de ser recusado, livra-me, ó Jesus.
Do temor de ser difamado, livra-me, ó Jesus.
Do temor de ser esquecido, livra-me, ó Jesus.
Do temor de ser ridicularizado, livra-me, ó Jesus.
Do temor de ser tratado injustamente, livra-me, ó Jesus.
Do temor de ser julgado suspeito, livra-me, ó Jesus.
Que os outros sejam mais amados do que eu, ó Jesus,
concede-me a graça deste santo desejo.
Que os outros cresçam na estima do mundo e que eu diminua, ó Jesus,
concede-me a graça deste santo desejo.
Que aos outros se dê mais confiança no trabalho
e que eu seja deixado de lado, ó Jesus,
concede-me a graça deste santo desejo.
Que os outros sejam louvados e eu negligenciado, ó Jesus,
concede-me a graça deste santo desejo.
Que os outros sejam preferidos a mim em tudo, ó Jesus,
concede-me a graça deste santo desejo.
Que os outros se tornem mais santos do que eu,
contanto que eu também me torne tão santo quanto puder, ó Jesus,
concede-me a graça deste santo desejo.

(Cardeal Merry del Val, *Ladainha para obter a humildade*).

A PACIÊNCIA

"Sede... alegres na esperança, fortes na tribulação..."
(Rm 12,12).

Sabes que frequentemente não podes fazer coisas grandes, mas sempre podes fazer as coisas pequenas de cada dia, magnificamente. Talvez jamais tenhas a oportunidade de praticar a fortaleza na perseguição, de dar tudo o que tens aos pobres, de arriscar tua vida para salvar a do outro, de oferecer-te como mártir. Mas em cada dia tens centenas de oportunidades de ser delicado para com o próximo, de obedecer prontamente a teus superiores, de ser generoso com quem precisa, de ser alegre no trabalho, de auxiliar tua família ou teus companheiros, de ser humilde em tuas imperfeições, de ser submisso às variações do tempo, de ser resignado quando os planos falham, de suportar as faltas de consideração, de perdoar quando ofendido.

Amo a prática da virtude nas coisas pequenas. É por isso que eu disse no sermão da montanha: "Felizes os mansos, porque receberão a terra em herança" (Mt 5,5).

Poucas virtudes são tão frequentemente postas à prova como esta. Quantas vezes, durante o dia, tens ocasião de ser paciente com os outros, com situações que não são de teu agrado. Estás com pressa e há quem te atrapalhe. Queres paz e repouso e aparece quem te perturbe. É um superior que é ríspido, um subordinado que é insolente, um companheiro que é indelicado. É uma criança que derrama a comida, outra que marca os móveis com as mãos sujas ou as paredes com lápis, ou ainda, estraga o jardim com suas brincadeiras.

Que vais fazer? Empurrar os que te atrapalham, gritar aos que te perturbam, responder bruscamente a quem te critica?

E o resultado? Tensão, irritação, desgosto contigo mesmo. Seria muito melhor se fosses paciente, sereno e pacífico.

Ajudar-te-ei a ser paciente.

Em primeiro lugar, reza. E digo-te outra vez: neste esforço, como em qualquer outro de tua vida espiritual, farás mais progressos num momento de oração humilde do que numa vida inteira de esforços individuais.

Pede-me a graça de me ver nos outros com os olhos da fé. Pede-me luz para compreender que quando te irritas com teus semelhantes, é comigo que te irritas.

Se lavei os pés de meus discípulos, certamente poderás limpar um ovo quebrado por teu filho, suportar uma palavra de crítica ou refrear tua língua diante de uma falta de delicadeza.

Pensa na minha paciência para com tuas faltas, teus esquecimentos, tuas negligências. Quando rezas o "Pai Nosso" dizes: "... perdoai-nos as nossas ofensas assim como nós perdoamos a quem nos tem ofendido". Aplica à tua vida a parábola do senhor misericordioso e do servidor ingrato. Como te perdoo aquilo que deves e que não pagas nem poderás pagar, assim deves perdoar aos outros o que devem a ti e que não pagam ou não podem pagar.

Esquece-te de ti mesmo e reveste-te de mim, e serás paciente. Não te apegues demasiadamente ao que fazes ou ao que desejas. De outra forma, serás levado a um interesse maior pela obediência, pelas deferências, pela calma, pela solidão por amor de ti mesmo e não por amor a mim. É o resultado de um agir por outros motivos que não o puro amor de Deus.

Não ignores as faltas daqueles que deves corrigir. Mas sê delicado sempre. Corrige-os por amor a mim e não para satisfazer tua irritação ou teu orgulho ofendido. Corrige-os com espírito de quem ajuda e não de quem se vinga. Sê firme, não, porém, cheio de cólera.

Sê paciente em tudo que permito que te aconteça. É muito mais fácil ser manso em circunstâncias em que o mundo te elogia ou se compadece de ti, do que quando te censura ou te despreza. A verdadeira paciência se estende a todas as situações que requerem paciência. Se o teu bom nome é diminuído, sê paciente com esta perda de ti mesmo e com a perda que causas aos que te estimam.

Ser paciente na enfermidade, por exemplo, é ser manso nesta doença que permito sobrevenha a ti com todas as dores e todos os incômodos. Não digas: "Suportaria esta doença pacientemente, se ao menos não impedisse fazer meu trabalho ou se ao menos não durasse tanto, se não sentisse esta fraqueza, esta dor de cabeça, se eu estivesse em tal lugar ou se ao menos não incomodasse tanto os outros". Não. Aceita tudo, em cada uma de suas circunstâncias.

Isto não significa que deves esconder ou não dar importância à tua doença. Procura melhorar, empregando os meios convenientes para isso. Não é reclamar dizer ao médico o que sentes, pormenorizadamente, sem exagerar e sem minimizar as coisas. Nem é impaciência, mas verdadeira humildade tomar os medicamentos ou sedativos que ele prescrever.

O mesmo se diga quando te sobrevêm pobreza, excesso de trabalho, perplexidade, desprezo, fracasso, transtorno nos planos. Oferece a mim todas as dores e todos os sofrimentos, unindo-os aos que sofri por ti. Será o começo da paciência.

PACIÊNCIA CONSIGO MESMO

> *"Suporta as demoras de Deus, [...] para que sejas sábio em teus caminhos" (Eclo 2,3).*

Se é difícil ser paciente com os outros e em todas as circunstâncias, é muito mais difícil ser verdadeiramente paciente consigo mesmo. Parece ilógico, pois talvez nada te parecesse mais simples do que ser paciente com tuas próprias faltas. Mas é, de fato, muito difícil. Significa ser suficientemente humilde para aceitar tuas limitações; significa estar disposto a servir-me dia após dia, apesar de tuas faltas; significa estar contente com teus próprios descontentamentos, enquanto duram. Significa gloriar-se, com Paulo, de tua fraqueza; significa reconhecer, com Felipe de Néri, que quanto mais varres, mais poeira levantas. Significa compreender, com Francisco de Assis, teu próprio nada.

Paciência consigo mesmo é não pensar demasiado em tuas próprias misérias, mas corrigir-te suavemente como me corrigirias em teu próximo.

Reconhece tuas faltas. Mais do que isso, reconhece teu nada; porém, não te irrites contigo mesmo. Sê suave e firme e, com meu auxílio, melhorarás no futuro.

Se tuas imperfeições inesperadamente começassem a dominar, farias bem em lamentar tuas faltas, mas farias ainda melhor se me dissesses que te alegras em reconhecer tua fraqueza. Uma vez que tens tantas imperfeições, podes esperar que se repitam uma e outra vez. Se ficas desanimado por causa de tuas faltas involuntárias é porque pensas que és melhor do que realmente és. Se permites que tuas imperfeições te perturbem, provavelmente estarás disposto a pronunciar palavras ríspidas ou a demonstrar ira em tudo o que fazes.

Quando aprenderás que por ti mesmo nada podes?

Dás maior glória a mim quando corriges as tuas faltas no momento oportuno, do que quando te perturbas por causa delas. Não sabes que olho para tuas imperfeições da mesma forma que olho para teus defeitos físicos? Quando cais doente, sem negligência de tua parte, não te censuro por isso. Quando estás cansado e com fome, não olho para ti com desprazer. Quando te queimas e soltas uma exclamação de dor, sei que é natural. Da mesma forma, quando estás mental e emocionalmente "queimado" e reclamas por causa de alguma imperfeição, eu sei que isso é natural. Quando cometes faltas involuntárias nas provações que sobrevêm, eu não dou mais importância a isso do que quando estás cansado, doente ou faminto. Aceita estas imperfeições involuntárias exatamente como aceitas a doença, compreendendo que não é falta tua, mas de tua natureza e das circunstâncias.

Quero teu amor e tua confiança. Tudo o mais que for necessário, eu o farei. Que o conhecimento de tuas imperfeições te levem a te lançares em minha misericórdia e em meu amor. Não há melhor método para progredir.

Aceita-te atualmente como és, com tuas faltas e fraquezas, mas com resolução firme de me servir o melhor que puderes. Proceder assim é um sinal certo de que o teu amor-próprio está diminuindo e de que está havendo progresso espiritual.

Aceita a verdade de que tenho planos diferentes para todas as minhas criaturas. Determina-te a realizar com toda fidelidade meu plano sobre ti. Isto é paciência, é humildade, é santidade.

Ainda há uma forma de paciência mais elevada, e esta, por mais estranho que pareça, é a paciência comigo. Muitos de meus amigos procuram forçar-me, impelir-me, querendo ir mais depressa do que a graça. Não sejas assim contigo!

Paciência comigo é simplesmente confiança em mim. Confiar totalmente em mim é a maior paciência. Saber que te amo mais do que amas a ti mesmo, compreender que conheço todas as tuas necessidades e que sei perfeitamente satisfazê-las, permitir que eu dirija tua vida, teu progresso, tuas orações – é esta a mansidão e a paciência que desejo ver em ti.

Paciência para comigo é amar minha vontade, entregando-te a mim, sendo indiferente ao que mando ou permito que te aconteça, contanto que não me ofendas. Paciência para comigo é não desanimar por causa das desolações, ou talvez, por causa da lentidão no progresso espiritual.

Paciência para comigo é deixar que te molde a meu modo, não me considerando severo, porque eu mando provações para te fortalecer ou porque faço crescer teu amor para comigo e desfaço teu amor-próprio, fazendo-te sofrer.

Paciência para comigo é esperar em mim, procurando alegria em mim, entregando tua vida toda em minhas mãos. Tem esta paciência para comigo e acredita que te amo com toda ternura, de uma forma que as palavras não são capazes de descrever.

DOIS PRINCÍPIOS DE PACIÊNCIA

"É pela vossa perseverança que conseguireis salvar a vossa vida!" (Lc 21,19).

Se queres praticar a paciência procura comportar-te na ordem emocional e racional como um cardíaco o faz na ordem física... Ele movimenta-se deliberadamente, anda lentamente, trabalha metodicamente. Evita impaciência, excitação e não é violento. Se as pessoas procedem assim para conservar a saúde física, certamente tu o farás também pelo teu bem espiritual. Eis dois princípios para adquirires a paciência: não te apresses, não levantes a voz. A pressa produz tensão, enganos, irritação. Levantar a voz destrói a paz e a serenidade.

Eis como deves proceder.

Pela manhã, faze um ato de abandono entregando-te a mim, aceitando com indiferença tudo o que eu permitir que te aconteça durante o dia. Isto trará paz e tranquilidade a tua alma. Contudo, lembra-te de que és uma criatura composta de corpo e alma e que tudo que o corpo faz, afeta a alma. Por isso, deves também procurar manter teu corpo em paz. Quando te levantas, faze-o a tempo, para que possas te preparar sem precipitação. Vais à missa? Sai cedo, para que possas ir com tranquilidade. Quando comes, faze-o calmamente. Quando te levantas da mesa para o teu trabalho, faze-o outra vez tranquilamente.

Durante todo o dia conserva esta calma sem precipitação, simples, tranquila. Se a perderes, procura readquiri-la sem violência, sem agitação. Anda lentamente, fala delicadamente, move-te calmamente. Cada coisa a seu tempo. Procura conservar a serenidade e a liberdade sempre, especialmente nas ações rotineiras: levantar-se, sentar-se, descansar, comer, andar, dirigir o carro ou atender ao telefone. Faze tuas ações um pouco mais lentamente, com voz baixa, calma, delicada. Leva esta atitude para o teu trabalho e, aos poucos verás, como produzirás mais e melhor. Tua inteligência funcionará mais logicamente, tuas emoções serão mais controladas e tua saúde física e a mental serão melhores. Verás que é muito mais fácil dominar os primeiros movimentos de ira quando surgem, do que "irar-se e não pecar". Põe em prática o aviso de São Tiago: "... cada um deve ser pronto para ouvir, mas lento para falar e lento para se irritar. Pois aquele que se encoleriza não é capaz de realizar a justiça de Deus" (Tg 1,19-20).

Considera também a palavra do salmista: "Desiste da ira, depõe o furor, não te irrites, só iria piorar. Pois quem faz o mal será exterminado, mas quem espera no Senhor possuirá a terra" (Sl 37[36],8-9).

Com esta paciência progredirás também em todas as demais virtudes. A ordem da vida espiritual é muito semelhante à do universo: causa e efeito, uma coisa levando a outra e tudo dependendo e levando ao teu Deus, teu criador e sustentador. Toda vida espiritual tende à simplicidade, ao esforço sério por fazer a tarefa que te destinei.

Dize, agora, comigo, esta oração para obter a paciência: "Ajuda-me, ó Mestre, a aprender e a praticar a paciência.

Quando eu estiver tenso com as coisas materiais, que meus passos sejam mais lentos e meus pensamentos mais tranquilos. Quando eu for tentado a encolerizar-me por causa da violação real ou imaginada de meus direitos, lembra-me de que vivo em comunhão contigo. Inspira-me o pensamento de que, antes de agir, devo consultar-te. Ajuda-me a ser bondoso, manso, humilde diante de insultos, de privações e de todas as injúrias. Divino Mestre, ensina-me a paciência, a mansidão; ensina-me a paz".

7. A ORAÇÃO

NECESSIDADE DA ORAÇÃO

> *"... quando orardes a mim, eu vos ouvirei"*
> *(Jr 29,12).*

Podes manter a vida do corpo sem alimento? Também não poderás manter a vida do espírito sem oração. A oração é um dos principais meios pelos quais obterás o auxílio divino para seres um outro eu.

Não podes fazer o menor ato de valor sobrenatural, sem minha graça. Com minha graça é que inicias o primeiro movimento para o céu. E a graça não pode ser ganha, comprada ou encomendada. Simplesmente é dada por mim a ti como um dom.

Apesar de eu dar a cada pessoa as graças essenciais de que necessita, determinei que possas obter graças adicionais, de três modos: mediante a missa, os sacramentos e a oração. Por conseguinte, receber a graça depende de a procurares, de a pedires. Se deixares de rezar, certamente deixarás de participar da missa e de frequentar os sacramentos. Perderás a vida da graça, porque a oração é absolutamente necessária. Sem ela, jamais chegarás a ver a Deus.

Teus progressos na vida espiritual estarão baseados na oração. Não esperes conhecer-me, servir-me, confiar em mim e amar-me, se não rezas, se não pensas em mim, se não falas comigo, se não olhas para mim, se não me ouves.

Minhas próprias ações não tiveram como começo a oração? Antes de começar minha vida pública, jejuei e orei no deserto. Antes de escolher os doze, passei a noite em oração. Antes de empreender tua redenção, ajoelhei-me no Jardim do Getsêmani.

Leste, porventura, alguma vez, que minha mãe tenha pregado numa cruzada, tenha feito milagres, tenha fundado alguma ordem religiosa? E, no entanto, todas as graças vêm à humanidade por meio dela. A intercessão de Maria pesa mais na balança divina do que todas as cruzadas, do que todos os milagres, e do que todas as ordens religiosas juntas.

A oração não é um substituto da ação, e sim o seu fundamento. É impossível pensar num apóstolo que não reze. E se existisse e parecesse realizar algo, não seria por seus esforços mesquinhos, mas pela oração dos outros.

Exijo ação, mas firmemente baseada na oração. Quanto mais levares uma vida de oração, mais frutuoso será teu trabalho. Oração e ação assemelham-se a um iceberg. Um nono da massa gelada acima da água seria a ação e o restante, oculto sob a água, seria a oração.

Sê, pois, meu apóstolo, em primeiro lugar pela oração e, depois, pela ação. Trabalha seriamente, mas reza com mais seriedade ainda.

Jamais deixes passar o dia sem rezar, em voz alta ou mentalmente. Fala comigo, certo de que estou em ti, vendo-te, ouvindo-te, conhecendo-te, compreendendo-te. Fala comigo como a teu maior amigo.

Não omitas tuas orações diárias, tua comunicação comigo. Encurta-as, se for necessário, porém, não as omitas.

Quanto mais tarefas tiveres a realizar, mais necessitarás de calma e serenidade no trabalho. A oração é o segredo da paz.

Meu desejo é que aspires à santidade, de modo que entres na visão de Deus logo após a tua morte. Conseguirás esta perfeição pela cooperação total com a graça que te inspira a orar, a participar da missa, dos sacramentos e da mortificação. Deves dominar tuas paixões, desfazer-te do apego às criaturas, arrancar as ervas que impedem teu crescimento em mim. Deves privar teu corpo e teu espírito de tudo o que te afasta de mim. Assim como um corredor exercita as pernas e a respiração por exercícios constantes, assim deves praticar estas mortificações. E como o corredor continua, mesmo quando seu corpo já pede repouso, assim deves perseverar. Procede assim, e um dia acharás mais fácil resistir a teus apegos terrenos. Talvez eles até desapareçam.

Conseguirás isto principalmente pela oração, pela missa e pelos sacramentos. Eles te darão o desejo e a capacidade de querer somente minha vontade. Pode parecer ilógico, mas depois de teres rezado, mesmo sem resultado algum aparente, o esforço de unires tua vontade à minha e de seres indiferente a todos os outros sentimentos tornarão mais fácil a ti o querer e o realizar minha vontade.

A criança, mediante uma obediência mais perfeita, um amor maior e um pedido mais insistente, consegue favores especiais de seus pais. Assim acontecerá contigo: conseguirás de mim maiores favores por tua maior obediência, teu amor maior e tua oração mais desinteressada. Não esqueças jamais esta diferença: a criança não conta com seus pais para deles receber o impulso à obediência, ao amor, aos pedidos. Tu, porém, dependes completamente de mim, primeiro, quanto à inspiração do desejo de me agradar, e depois, os meios de o fazer, em cada momento.

COMO ORAR

"Vós, portanto, orai assim" (Mt 6,9).

Meus discípulos pediram-me: "Senhor, ensina-nos a orar". Pede-me também, e eu te ensinarei como orar. Não te preocupes com métodos. Entrega tua oração em minhas mãos. Eu te ensinarei o modo de oração que é melhor para ti, mudando-o de acordo com teus progressos, de modo que cada vez mais firmemente tua vontade esteja unida à minha.

Quando rezas, entrega-te todo a mim, com tua atenção, tua memória, teu amor. Se consegues ou não realizar esta entrega da atenção e da memória, não importa. O que importa é a *vontade* de o conseguir. Esta é a nota característica de toda oração verdadeira.

Agora vou te ensinar como rezar algumas de tuas orações que são mais caras ao meu coração.

Quando rezas o terço ou qualquer outra oração, não te apresses, mas faze-o calmamente, meditando, mantendo-te em paz e serenidade. Muitos de meus amigos recitam-no de tal forma que parece estar falando uma língua estrangeira ou pronunciando palavras desconhecidas ou frases esquisitas.

Quando rezares a "Ave Maria" e disseres "rogai por nós pecadores", pedes à minha mãe não somente que rogue em teu favor, mas também em lugar de ti. Portanto, pedes que ela torne sua a tua oração. Compreendes, então, que minha mãe reza contigo e por ti, acrescentando o que falta à tua oração e unindo-a à sua? Quando rezas o terço, pensa nos seus mistérios. Lembra-te de que participas de tudo o que fiz, como se tivesse sido feito por ti. Une-te à minha agonia, fazendo-a tua. Faze o mesmo quanto à minha flagelação, à minha coroação de espinhos. Que meu levantamento da cruz seja teu; que minha crucifixão seja tua. Une-te a mim em todos estes mistérios, juntando os teus sofrimentos, as tuas mortificações e dores aos meus, de modo que nosso sacrifício se torne um só, um ato de amor único e total à Santíssima Trindade.

Da mesma forma, une-te comigo em minha ressurreição e ascensão. Glorifiquei a Trindade com estes mistérios. Tu igualmente glorificarás ao Deus Trino neles participando, tornando-os teus, como se tu mesmo os tivesse realizado.

Une-te a meus apóstolos recebendo o Espírito Santo. Junta-te à minha mãe na sua aceitação da vontade do plano eterno. Dize com ela: "Eis a serva do Senhor, faça-se em mim segundo a tua vontade". O seu *fiat* seja teu. Une-te a ela, quando visita Isabel para ajudá-la. E que a sua visita torne-se tua. Une-te a ela nos mistérios da assunção e da coroação. Como ela glorificou a Trindade por eles, glorificarás a Deus participando deles, como se os experimentasses tu mesmo.

Faze-o não somente por ti, mas por todas as pessoas. Faze reparação por elas, como eu o faço por ti. Quero que ajudes todas as pessoas vivas e falecidas a participarem de tua reparação, como se fora deles mesmos.

Faze tudo isto com serenidade. Reza com simplicidade, com calma, não procurando "sentir" coisa alguma, mas conservando um desejo simples e tranquilo de rezar o que te inspiro, agora e em cada momento.

Se te distrais involuntariamente, não te perturbes. Reza mais devagar, se queres. Um "Pai Nosso" rezado lentamente e com abandono é muito melhor do que muitos rezados às pressas e sem atenção. Não estou contando o número de tuas orações.

Concentra-te numa palavra ou numa frase. Quando dizes "Pai nosso", por exemplo, procura penetrar, quanto puderes, no sentido da palavra "Pai", ou da palavra "nosso", ou da palavra "céu". Ou então, toma uma frase como "seja feita tua vontade", e procura penetrar a profundeza de seu sentido.

Se persistem as distrações, simplesmente une tua vontade à minha, em total abandono, submissão e humildade, e oferece-me tuas distrações. Dize que preferes estar distraído, pois parece ser minha vontade naquele momento, a gozar da maior concentração e consolação.

Une teu abandono e tua oração distraída ao meu abandono à vontade de meu Pai, com o *fiat* de Maria, com o abandono de todos os santos, de todas as pessoas santas, no presente, no passado e no futuro.

Une tua submissão à minha submissão em tornar-me homem e obedecer fielmente a todos aqueles aos quais o Pai investiu de autoridade, na ordem natural das coisas.

Une tua humildade à minha humildade, quando aceitei a sentença de Pilatos, quando tomei a cruz, quando caí ao chão, ferido, pisoteado e injuriado, quando fui levado pelas ruas de Jerusalém como um animal, à vista de minha mãe, quando aceitei a ajuda de Simão e não retirei minha face torturada, mas agradecido, aceitei o gesto de Verônica, quando consolei as piedosas mulheres; enfim, quando fui despido e crucificado.

Quando rezas, quer seja o terço, a via-sacra ou qualquer outra oração, une-te a mim como vítima, completamente abandonada e obediente à vontade de meu Pai, completamente humilde e desejosa de ser a pessoa que ele quer que sejas, perfeita no amor.

ORAÇÃO CONSTANTE

> *"Estai sempre alegres. Orai continuamente"*
> *(1Ts 5,16-17).*

Se continuares fielmente a orar, tua oração tornar-se-á simples, confiante e abandonada.

Compreenderás mais claramente o significado de minhas palavras: "Se pedirdes algo em meu nome, eu o farei" (Jo 14,14).

Compreenderás com grande satisfação que isso é um verdadeiro cheque em branco para o tesouro divino. Farás teus pedidos com amorosa confiança de que serão atendidos da melhor forma e no tempo mais conveniente. Serás perseverante em tua oração, e não voluntarioso ou obstinado. Lembrar-me-ás teus pedidos, dizendo: "Senhor, lembra-te", mas jamais serás importuno.

Poderás dizer como minha mãe, quando me encontrou no Templo em Jerusalém: "Filho, por que agiste assim conosco? Olha, teu pai e eu estávamos, angustiados, à tua procura!" (Lc 2,48). Era a queixa delicada de uma mãe sobre algo que ela não compreendia.

Poderás dizer, também, quando não compreenderes alguma coisa: "Senhor, por que fizeste isso?".

A oração de minha mãe, em Caná, foi uma simples afirmação: "Eles não têm vinho!" (Jo 2,3). À medida que te vais tornando mais plenamente semelhante a mim, tua oração também tomará esta forma: "Senhor, não temos vinho; Senhor, precisamos de ti". E minha resposta será mais rápida que o próprio pensamento.

Maria e Marta pediram assim: "Senhor, aquele que amas está doente" (Jo 11,3). Elas sabiam quanto eu amava Lázaro. Quando cheguei a Betânia, quatro dias depois da morte do amigo, elas disseram: "Senhor, se tivesses estado aqui, meu irmão não teria morrido" (Jo 11,21).

Esta é a oração daqueles que se tornaram completamente semelhantes a mim: uma súplica quase sem palavras, a afirmação de um fato, cheia de amor, de confiança, de humildade, de paciência, fundada no conhecimento de que eu farei aquilo que for realmente melhor.

Prometi ensinar-te a orar sem cessar. E isto consiste em dirigires simplesmente todos os teus pensamentos, palavras e ações a mim, unindo tudo à minha vontade.

Como farás?

Começa o dia com a oração, oferecendo-o todo a mim. Participa comigo, se possível, do santo sacrifício da missa e une-te comigo sacramentalmente na santa comunhão.

Reserva alguns momentos para a meditação diária. Em nossa próxima conversa ensinar-te-ei como meditar.

Recita o terço, se possível, diariamente. E se tens tempo e se isto é conforme com teu estado de vida, recita também todo ou uma parte do ofício divino.

Faze, cada dia, uma leitura espiritual, tirada sobretudo dos Evangelhos ou de outras partes da Sagrada Escritura.

Porventura, peço-te muito? Pensa no tempo que gastas, diariamente, na ociosidade, nos devaneios, nas conversas inúteis, na leitura de jornais, de romances e assistindo programas de televisão.

Não há, no teu dia, muitos momentos que poderias preencher perfeitamente com a oração? Não poderias recitar uma dezena do terço enquanto vais pela rua, enquanto diriges o carro, ou enquanto fazes alguma tarefa doméstica? Não podes pensar em mim enquanto sobes ou desces as escadas, quando vais de uma sala para outra, ou quando vais atender ao telefone?

Quero desenvolver em ti tal liberdade de coração que passes da oração para o trabalho e do trabalho para a oração, como se fossem uma ação contínua. Oferece-me teu trabalho como me ofereces tua oração. Não me deixes de lado quando passas da oração para as obrigações diárias que te dei. Estou contigo, estou em ti, dando-te continuamente energia e inspiração para fazeres bem o teu trabalho.

Enquanto trabalhas, porém, não deves esquecer-te de dirigir frequentemente teu olhar para mim. Não te esqueças de pensar calmamente: "Faço isto por ti, Senhor". Mesmo em companhia de outras pessoas, podes reservar um momento para te lembrares de que estou presente em ti. Assim, podes trocar comigo um olhar, um pensamento, uma palavra.

Não importa a tarefa que tens a desempenhar. Sempre é possível reservar um momento para a oração, mesmo que seja só um olhar de amor. É a melhor maneira de empregares o teu tempo. Os poucos segundos que gastas para elevar teu pensamento a mim são ricamente compensados por uma paz mais profunda e por uma eficiência mental mais intensa.

Tal recolhimento ajudar-te-á a evitar a precipitação ou a exaltação. Ajudar-te-á a compreender que não me interessa tanto a quantidade de trabalho que executas, e sim se o fazes por mim. Não te peço mais do que isto: que vivas para mim, momento por momento, fazendo o melhor que podes, com calma e tranquilidade.

Desta forma, passarás teus dias em união comigo, sempre rezando, sempre glorificando, sendo um outro eu, nos teus pensamentos, e em tuas palavras e ações.

Digo-te outra vez: reza! reza! reza! E não me digas que estás sempre muito ocupado para poderes elevar o pensamento a mim.

Dá-me o teu tempo, e executarei a metade e mais de teu trabalho.

Dá-me teus pensamentos, e iluminarei teu espírito.

Dá-me tua vontade, e te darei minha paz.

Dá-me teu amor, e teus dias serão repletos de minha alegria.

Dá-me tuas orações, e abrirei para ti os inexauríveis tesouros do céu.

A MEDITAÇÃO

"[quero] meditar nos teus grandes feitos"
(Sl 77[76],13).

Se queres progredir na oração, é necessário que meditates. E meditar não é nada mais do que pensar, piedosamente, em Deus ou nas coisas de Deus. Eis um meio simples.

Lembra-te de que a Trindade habita em ti e que, na verdade, és um outro eu. No começo, isto talvez exija um momento ou mais de concentração. Quando tua oração se tornar mais simples, esta lembrança da presença de teu Deus será mais fácil ao teu espírito, até tornar-se habitual. Basta elevar teu pensamento da ocupação atual que tua atenção voará para mim. Posso conceder-te a graça de permaneceres recolhido mesmo em meio às tuas ocupações.

Antes da meditação, é bom fazeres breves atos de adoração, de contrição dos pecados e de petição de meu auxílio.

Depois que te colocaste em minha presença com estes atos, lê piedosamente um trecho do Novo Testamento, relembra alguma de nossas conversas ou lê alguma coisa de um autor espiritual de que gostas. Lê um pouco. A seguir, fala comigo sobre o assunto: que é que entendeste? Como ele se aplica à tua situação? Que influência poderia ter em tua vida?

Mais tarde, poderás chegar a meditar melhor sem livro. Poderás fazer uma leitura espiritual como preparação para a meditação, não, porém, como parte dela. Raramente poderás meditar com proveito, sobretudo no começo, sem um livro ou, pelo menos, sem o teres lido com antecedência.

De outra forma, gastarás grande parte do tempo para decidir qual será o assunto de nossa conversa.

Há muitos métodos que te ajudarão a entrar em conversa comigo. Podes refletir sobre o "Pai Nosso" ou o "Creio", sobre uma palavra ou frase de cada vez, como te expliquei anteriormente. Podes relembrar vivamente uma cena de minha vida, imaginando vê-la, ouvi-la e, depois, vivê-la tu mesmo. Podes te colocar junto ao meu berço, em Belém, junto a mim, no Cenáculo, na última ceia, e enfim, junto à minha cruz, no Calvário. Podes imaginar o céu e também o inferno. Podes ver-te no último juízo, imaginando tua alegria, se puderes olhar para mim com confiança, ou teu desespero, se te condenares.

Meditando, porém, em minha paixão e morte, não te entristeças. Sentimentos forçados não têm lugar na oração. Basta que tires de tuas reflexões e conversas comigo bons propósitos e um tranquilo e amoroso conhecimento de meu amor para contigo.

Esses propósitos devem ser curtos e precisos. Por exemplo: serei delicado com tal pessoa, quando a encontrar, hoje. Obedecerei alegremente, quando me mandarem fazer tal tarefa de que não gosto. Sorrirei e direi uma palavra delicada àquele vizinho que me irrita e ao qual tenho evitado. Farei aquela tarefa da qual venho fugindo, e a farei calma e conscientemente.

Termina tua meditação pedindo-me que eu derrame minha graça sobre ti, que te ajude a crescer na humildade e no apego a mim, que te leve a um completo abandono, que te ajude a ser tal como desejo, que te ajude a me ver nos outros e a fazer de ti, plena e totalmente, um outro eu.

Finalmente, dize-me uma palavra de agradecimento pela minha ajuda. Dirige, também, uma súplica a minha mãe, para que ela te faça ser fiel a estes teus propósitos. A meditação te ajudará a ficar recolhido o resto do dia. E para completares este recolhimento, escolhe algum pensamento importante para dele te lembrares com frequência. Escolhe o que te for mais conveniente: abandono à vontade de meu Pai; ser uma pessoa como eu desejo que sejas; a Trindade que habita em ti; o desejo de ser um outro eu; a intenção de fazer tudo e unicamente por mim; completa aceitação do momento presente.

Que este pensamento seja a nota dominante de teu dia. Com ele, preenche os momentos livres entre as tuas ocupações.

Se, depois de semanas ou dias, um pensamento se tornar rotineiro, não temas em buscar outro. Não estás preso. Podes percorrer livremente os campos da oração. Contudo, não quero que estejas como que voando de um método para outro, experimentando agora este, depois aquele, com uma inquietação febril, como que procurando novas sensações ou consolações. Também não quero que fiques preso a um único método, como se isto me contrariasse. Conserva tua serenidade e o teu coração, livre.

Depois de algum tempo poderás voltar para o pensamento anterior, em novo recolhimento.

Outro meio essencial para conservar este recolhimento e rezar sempre é o hábito de dizer jaculatórias. Durante o dia, podes elevar teu coração e teu espírito, cem ou mais vezes, unindo-os ao Pai, ao Espírito Santo e a mim. Pensa na Trindade que habita em ti. Prostra-te ao pé da cruz.

Oferece ao Pai teus sacrifícios e alegrias, como uma criança oferece um ramalhete de flores.

Se as circunstâncias o exigem, estes oferecimentos podem substituir muitas outras formas de oração. Sem eles, uma vida de recolhimento é quase impossível.

Se tuas meditações são áridas e infrutuosas, não desanimes. Não procures dirigir teu espírito a qualquer pensamento particular. Lê um pouco, reflete calmamente e fala comigo. Lê outra vez e fala comigo de novo até que termine o tempo de tua meditação. Sê paciente e perseverante. Não te impacientes nem te aflijas.

Outras vezes, enquanto lês ou refletes, sentir-te-ás levado a fazer atos de amor, de adoração, de agradecimento, de reparação ou de petição.

Assim deve ser. É o que desejo. A leitura, a reflexão ou a imaginação são apenas meios. O fim a atingir é o amor. Assim, faze estes atos quando te sentires inclinado. Meditas não para aprender mais, e sim para amar mais. Sê fiel e farei teu amor crescer até o infinito.

PROGRESSO NA ORAÇÃO MENTAL

"Ele, porém, se retirava para lugares desertos, onde se entregava à oração" (Lc 5,16).

Se perseverares, chegará um tempo em que a meditação não será mais suficiente. Sentirás dificuldade em refletir e raciocinar na oração. E isto será quase habitual, não ocasional. A reflexão começa a cansar o espírito, e o raciocínio não só não se interessa mais, mas torna-se quase impossível. Serás atraído por simples pensamentos que te inspirem atos de amor e de louvor. E quando procuras voltar às tuas antigas reflexões ou às costumeiras conversas comigo sobre os mistérios de minha vida, sentirás insatisfação, distrações, e voltarás aos teus atos de amor.

São sinais de que estás preparado para progredir na oração.

Quando isto ocorrer, lembra-te do que te disse, de como proceder. Se não podes refletir e conversar comigo como o fazias anteriormente, e se achas que isto não é devido ao cansaço ou a certa apatia, procura não forçar a ti mesmo. Entrega tua inteligência, tua memória e tua vontade em minhas mãos. Talvez possas preencher o tempo de tua meditação com simples atos de amor, de confiança, de agradecimento e de louvor. Noutras ocasiões, estes mesmos atos poderão não ter sentido algum para ti a não ser alimentar tua imaginação e ajudar-te a diminuir as distrações.

De novo, em vez de fazer uma variedade de atos, sentir-te-ás inclinado a repetir, uma e muitas vezes: "Meu Deus, eu te amo!"; "Meu Deus e meu tudo!"; "Seja feita a tua vontade!".

Mais tarde, a repetição destas aspirações diminuirá. Então, não desejarás mais falar, mas simplesmente olhar para o teu Deus, repousar em mim, sem fazer nenhum ato, como que respirando ou vivendo o próprio Deus.

A simplicidade não se consegue do dia para a noite. Seu crescimento dependerá do teu completo abandono a mim. Algumas vezes conseguirás meditar segundo aquele método antigo; outras, não o conseguirás. Quando podes meditar sem cansar ou contrariar teu espírito, faze-o. Mas quando não o podes, deixa que tua oração consista em atos simples, ou repousa em mim.

Fora da oração, serás capaz de refletir, de raciocinar e de fazer considerações como sempre. Durante a oração, porém, não o conseguirás. Quando tua oração tiver ultrapassado o estágio da meditação, sentirás facilidade em falar sobre assuntos espirituais, em estudar as verdades da fé, como falas sobre ciências ou estudas matemática. Isto, porém, fora da oração. Não é oração, porque, enquanto meditas, não rezas. Pelo contrário, estudas.

Estarás sendo preparado para formas ulteriores de oração, nas quais não terás outra atitude a não ser a de espera, numa espécie de passividade, de profunda tranquilidade, sem esforços para raciocinar, para imaginar, para compreender; simplesmente amando a Deus com uma vontade pacificada.

Estarás sendo preparado para a oração contemplativa. Esta não é necessária à santidade. Alguns de meus grandes santos nunca foram contemplativos. Mas nem por isso a oração contemplativa é reservada somente aos que vivem no estado religioso. Concedo este dom especial com mais frequência aos religiosos, porque eles me entregam mais totalmente sua inteligência, memória e imaginação. No entanto, desejo também conceder a oração contemplativa aos leigos que vivem a vida ativa, contanto que não ponham obstáculos à minha ação.

O silêncio é uma das predisposições para a contemplação. E não apenas o silêncio externo, mas também a tranquilidade interna, que nasce do desprendimento de paixões e de desejos orgulhosos.

A pessoa silenciosa não ouve os clamores do egoísmo.

Apesar deste silêncio ser mais facilmente alcançado nos claustros, há também muitas pessoas que o alcançam na vida ativa, porque o procuram sincera e piedosamente.

Se queres progredir na oração, evita o exagero das conversas ociosas, as leituras vãs, os devaneios, a procura demasiada de diversões mundanas, a preocupação excessiva com os negócios, a segurança e as coisas deste mundo.

Retira-te, de vez em quando, para a solidão. Isto não significa que deves levar uma vida anormal. Não deves tornar-te esquisito, fugindo dos contatos sociais razoáveis e necessários.

Por mais ativa que seja a tua vida, podes manter o "silêncio" interior, seguindo minhas instruções e a ajuda que te ofereço.

Já te ensinei como deves agir: fazer cada coisa a seu tempo, e tudo por mim, não por vantagens humanas; desempenhar bem tuas tarefas, trabalhar com calma, sem agitação; rezar jaculatórias, voltando teu espírito para mim, em rápidos momentos, muitas vezes ao dia; preencher os momentos livres de teu dia com a oração e a leitura espiritual. Para isto, procura um lugar onde possas estar a sós comigo: na solidão de uma igreja, junto de mim, no Santíssimo Sacramento, ou mesmo no teu próprio quarto, à noite.

Percebes que os princípios que regulam o crescimento na oração são os mesmos que regulam tudo o que pertence à vida espiritual? Primeiramente, o desejo ardente de fazer minha vontade. A seguir, a firme confiança de que te protejo, te dirijo e vivo contigo. Enfim, a entrega total, sem reservas, de ti mesmo a mim.

É por isso que repito muitas vezes: deves procurar, desejar e querer somente a oração que te inspiro em cada momento.

Confia em mim, ainda que tua oração pareça totalmente sem sentido, uma perda de tempo e mesmo cansativa para ti.

Entrega-me todo o teu ser na oração: teus pensamentos, tuas recordações, tua imaginação e, sobretudo, tua vontade.

Vem à oração com humildade, reconhecendo que, por ti mesmo, não podes rezar.

Vem com generosidade, oferecendo todas as tuas faculdades e todas as tuas forças.

Vem com confiança, reconhecendo que tudo o que faço é perfeito.

Vem com amor, dizendo-me que queres somente a minha vontade.

Reza assim e tua oração, naquele momento, será perfeita. Santo algum fará uma oração melhor.

A ARIDEZ NA ORAÇÃO

> *"... meu espírito desfalece"*
> *(Sl 142[141],4).*

Há certa semelhança entre o crescimento do amor dos esposos e o crescimento do amor para comigo. Quando dois noivos se casam, sentem um desejo ardente de estarem sozinhos. Desejam esquecer o resto do mundo, enquanto repetem um para o outro seus sentimentos e manifestam seu afeto. Parece-lhes que nada lhes será difícil de realizar. Cada qual, com um gesto impulsivo e decidido, quer fazer tudo pelo outro.

Este amor, porém, é em grande parte, uma satisfação pessoal, porque estão amando e sendo amados. Passados os primeiros momentos de um bom casamento, surge um outro amor, muito mais profundo e mais verdadeiro, caracterizado mais pela procura da felicidade do outro do que pela satisfação pessoal. Tal amor se expressa, diariamente, em formas mais simples e mais práticas. Antes, o noivo afirmava à sua noiva que faria qualquer sacrifício por ela. Agora, reconhece que fará, de fato, aquilo que antes simplesmente era uma promessa.

Teu amor para comigo desenvolve-se de modo semelhante. Quando concedo graças especiais e consolações com o fim de te aproximar mais de mim, ficas inundado de alegria e de desejo de me servir. Nada te parece difícil: penitências, jejuns, nem o programa de oração.

Chega, no entanto, o momento de provares o teu amor. Aos poucos, quando retiro minhas consolações, a aridez, o sentimento de ineficácia de tua oração tomará conta de ti, com frequência. Tu me amas, ou amas apenas as minhas consolações? Continuarás a rezar, mesmo quando o gosto da oração desaparecer?

No estado de aridez, quererias rezar como antes. Mas falta-te a paz e a alegria de antes. Quererias concentrar tua atenção em mim, e não o consegues. Por isso, terás a sensação de que não estás rezando, não estás fazendo nada a não ser perdendo tempo. E começarás a querer fazer qualquer outra coisa, como "atos forçados" de oração. E quando também estes não produzirem algum fruto prático, desejarás voltar à leitura, ao estudo ou à conversa com outrem. Poderás chegar mesmo a um profundo fastio só em pensar em rezar.

No entanto, não deves permitir que esta aridez te faça voltar à oração meditativa e menos simples. Ainda que julgues mais fácil ler do que simplesmente "esperar", e se na leitura percebes que não estás "rezando", então deixa de ler. Ainda que te seja fácil pensar em minha humanidade, em minha paixão, a não ser que o faças rezando, e não como quando estás simplesmente organizando a sequência de teus pensamentos no estudo ou na preparação de uma palestra – repito, se não o fazes rezando, então não penses em minha humanidade, nem em minha paixão. Permanece esperando em tua oração árida. Oferece-a a mim, dize-me que a desejas, porque sou eu que a envio. Não desejes nada mais.

É uma prova pela qual quero saber se rezas, porque é minha vontade, ou porque, rezando, te sentes bem, devoto e tranquilo.

Quando te provo desta forma, como tua oração se torna difícil, árida, sem gosto! Tua alma se arrasta dolorida, cansada, faminta, e, às vezes, desejando morrer por amor de mim.

Queres contemplar a verdade, cantar meus louvores, agradecer e exprimir teu amor. E justamente porque me amas tanto, vendo quanto te amo, a dor em tua alma é como a de uma ferida aberta. Confia em mim. Deixar de cantar, nestes momentos, é melhor do que cantar. Eu estou formando tua oração. Tem confiança em mim. É um momento difícil. Persevera. Nestas ocasiões, quando parece que nada tens para me dar a não ser tua vontade árida, e quando a ofereces com toda generosidade, ainda que com sofrimento, então és imensamente amado por mim. Na verdade, estou te ajudando, observando-te com ansiedade, compadecido de teu sofrimento, desejoso de premiar-te, pronto para diminuir teu sofrimento, assim que me parecer mais conveniente.

Nestas ocasiões, precisas de paciência na oração, e de alegrar-te com o que te dou. Se não podes pensar, não te esforces por fazê-lo. Se não podes falar, não procures falar. Mas poderás sempre repousar. A oração de tranquilidade é exatamente o que quero de ti naquele momento.

Gostarias de sondar tua oração para ver como e o que estás fazendo. Resiste à tentação. Renuncia a ti mesmo. Renuncia a teu entendimento e à tua memória. Entrega-os a mim, para que eu faça deles o que eu quiser. Aceita a oração que te dou. Não queiras nada mais. Dize-me que não desejas outros pensamentos, outras recordações a não ser as que eu te conceder.

Se te sentires distraído e curioso por saber como estás rezando, simplesmente volta tua atenção, com toda a tranquilidade, para minha presença em ti.

Quão bem Francisco de Sales conhecia meu espírito, quando dizia: "Permanece na oração. Quando as distrações sobrevêm, se podes, procura delicadamente afastá-las; se não o podes, enfrenta-as com a melhor disposição. Deixa que as moscas te perturbem quanto quiserem, enquanto estás falando com Deus. Ele não se preocupa com isto. Podes afugentá-las com um gesto delicado, mas sem agitação ou impaciência, porque isto te perturbaria" (Carta de São Francisco de Sales a Santa Joana Francisca de Chantal).

E noutro lugar: "Alguém pode continuar na presença de Deus, não somente ouvindo-o, vendo-o ou falando com ele, mas também esperando que lhe apraza olhar para nós, falar conosco, ou que nós falemos com ele, ou mesmo não fazendo outra coisa a não ser simplesmente ficar onde lhe apraz que fiquemos, e porque lhe apraz que fiquemos ali" (*Tratado do amor de Deus*).

Uma das grandes mortificações que podes oferecer-me é a perda sensível da presença de Deus, depois de a teres experimentado. É simplesmente uma sombra da mortificação que eu mesmo ofereci no Getsêmani, quando a incompreensível alegria da visão beatífica não impediu a tristeza em minha alma, e a agonia, em minha natureza humana.

Podes imitar-me de longe, oferecendo a Deus a desolação que experimentas na aridez. Podes mesmo oferecer-me tua decisão de jamais querer, nesta vida, as alegrias de minha presença consoladora, se assim for minha vontade.

GOSTO ANTECIPADO DO CÉU

> "... que o vosso amor cresça ainda,
> e cada vez mais..." (Fl 1,9).

Na oração, às vezes procedo contigo como procedi com os meus apóstolos, quando eles estavam pescando no mar da Galileia, depois de minha ressurreição. Pedro e os demais tinham trabalhado a noite toda, sem nada conseguir. Ao amanhecer, eles me avistaram na praia, porém, não me reconheceram. Perguntei-lhes se tinham pescado algum peixe. Eles responderam que não. Então eu lhes disse: "Lançai a rede à direita do barco e achareis" (Jo 21,6). Eles o fizeram. O resultado foram 153 peixes grandes! De modo semelhante procedo contigo na oração. Procuras rezar, e nada consegues. É a desolação, é a tristeza, são as distrações que te acometem a cada momento. Contudo, uma e outra vez continuas oferecendo-me teu sofrimento, dizendo-me que não queres mudá-lo nem pará-lo, antes, pedindo-me que te ajude a suportá-lo. E quando estás cansado e quase desanimando, eu te digo: "Suporta um pouco mais. Lança a rede outra vez". E, de repente, fazes uma grande pesca.

Pode ser diante do Santíssimo Sacramento, ou durante a missa, ou em teu quarto, ou em qualquer lugar. De repente, *me reconheces*, e dizes: "És o Cristo, o Filho de Deus vivo; e és também meu irmão. Não posso ver-te nem sentir tua presença, porém não te peço isto. Sinto-me feliz por viver de fé, somente!".

Com este conhecimento mais seguro do que se me tivesses visto, saberás que estou em ti, que fiz de ti minha morada, que és meu templo. E ficarás sentado junto de mim, como Maria de Betânia, ouvindo minhas palavras, tranquilo, silencioso, repousado. Ou como João, na última ceia, repousando sobre meu peito. E será, às vezes, tão profunda a tranquilidade deste repouso, que tua alma, em certo sentido, parecerá adormecida no gozo e na satisfação da presença de Deus.

Se eu te chamar a este estado de oração, fica tranquilo. Não ajas, não digas palavras, nem procures pensamentos.

Durante este repouso de tua alma, tua inteligência pode ser inundada com luz e inspiração, de modo que compreendas verdades que jamais tinhas percebido antes. Pode ser um conhecimento tão vivo da beleza de Deus e tão claro que, por um momento, poderás compreender em profundidade e com convicção que, ao lado dele, todas as coisas e todas as glórias nada são.

Pode ser também um conhecimento de que Deus, na verdade, te sustenta como que na palma de suas mãos e de que nada podes sem ele.

Pode ser um novo conhecimento de que deves amar-me não somente como Deus, mas também como homem.

Pode ser uma súbita compreensão do desejo veemente que tenho de atender favoravelmente os teus pedidos. Sabes que, neste estado de oração, tudo o que me pedires, ser-te-á concedido. E, sem que nada perturbe teu repouso, começarás a formular uma quantidade de pedidos: que todas as pessoas se salvem; que os pecadores se convertam; que os incrédulos sejam iluminados; que as almas do purgatório sejam aliviadas; que tua família seja abençoada; que os que sofrem sejam fortalecidos.

E se te encontrares com certa pressa, procurando apresentar todos os teus pedidos antes que passe aquele momento de favor especial, no mesmo instante reconhecerás que estou sorrindo para ti, ternamente, e dizendo-te: "Não te apresses, porque não te deixarei. Vivo em ti, e sempre ouço os teus pedidos como o estou fazendo agora".

Então, tocado por uma graça especial, pedirás que em tudo o que disseres, fizeres ou pensares, sempre seja feita a minha vontade. E tudo isto farás ou conhecerás intuitivamente, sem palavras, sem te preocupares com pensamentos, sem esforço. Eu "te tocarei". E teu conhecimento e amor imediatamente se multiplicarão sem medida.

Minhas graças transformarão tua vida, pouco a pouco. A seguir, cada vez mais rapidamente, até que finalmente serás levantado ao pináculo glorioso da união transformante. Isto não se realizará num momento, tampouco será feito por ti. Na contemplação, eu faço tudo ou quase tudo. Quase nada fazes, a não ser entregar-me tua vontade. Haverá momentos em que tua alma nada vê e nada conhece a não ser a mim.

Quanta segurança terás no teu progresso, quando aceitares e desejares somente a oração que te dou!

Se eu te conceder este dom incomparável da contemplação, peço-te que não te orgulhes. Lembra-te de que, muito espero daquele a quem muito concedo. Sê grato, porém não te apegues a este ou a qualquer outro dom divino. Esteja sempre pronto a ter, ou a não ter, favores espirituais ou materiais, exceto minha graça vivificante.

Vês como é perigoso para ti, se eu te conduzir a esta oração? Em sua plenitude, este estado pode ser transportado para a tua atividade diária, de modo que enquanto estiveres atento às tuas obrigações, no mais profundo de tua alma estarás recolhido e atento a Deus. Enquanto trabalhas, fazes minha vontade, e tudo dirigirás a mim, com a certeza de que estou vivendo contigo.

Vês, neste modo de vida, uma semelhança, ainda que longínqua, de minha contínua contemplação do Pai, durante minha vida terrena na Palestina? Eu contemplava a Trindade Divina, mesmo em minhas ocupações comuns.

Sentindo fome, dor, alegria, tristeza, as necessidades dos outros, ensinando ou ouvindo, em cada momento contemplava a Trindade Santa.

Pensa nisto. Se perseverares fielmente na oração e na meditação, posso conceder-te, quando me parecer conveniente, esta graça imensa da oração mística e, talvez, até a oração de união, que já será um sinal da visão de Deus que prepararei para ti, na eternidade.

8. FUGA DO PECADO

O QUE É O PECADO?

*"... considerai-vos mortos para o pecado
e vivos para Deus..." (Rm 6,11).*

Sabes o que é o pecado? É o mal e a origem do mal. É o mau uso da vida. O pecado é a rejeição de Deus em tua vida.

Vim habitar em ti e, para que ficasses sem nenhum constrangimento, de tal forma ocultei minha majestade que, muitas vezes, até esqueces completamente minha grandeza e ignoras minha presença. Dou-te as mais preciosas riquezas, o acesso ao depósito infinito da graça, e isto tão discretamente que nem sabes o que estás recebendo. Habitando em ti, estou ajudando-te, aqui na terra, a preparar-te para a eterna glória.

A toda hora estou pronto para falar contigo. Quando precisas, estou sempre presente, facilitando teu caminho, defendendo-te do mal. Quando permito que este te atinja, dou-te a ajuda de que necessitas para combatê-lo. E mais. Não exijo de ti uma palavra sequer, para estar ao teu lado; um olhar, um simples pensamento é o bastante.

Tudo que exijo de ti é que me aceites como teu rei. Não para ser temido servilmente, e sim para ser amado.

A morada de tua alma é pobre, escura, sem conforto, frágil, sempre ameaçando ruir. Contudo, quero viver nela. Quero melhorar tua morada. Quero iluminá-la, mobiliá-la, tornando-a gloriosa. Tudo o que te peço é o reconhecimento de que sou teu rei. Nisto consiste a santidade. O não reconhecimento é o pecado.

O pecado é, pois, a rejeição de teu rei, em favor de uma criatura, viva ou inanimada. Não me revelo com toda a minha glória em tua casa. Se o fizesse, tu não me rejeitarias. Mas permito que as criaturas se revelem a ti com seu esplendor e sedução.

Quando contemplas as criaturas e és tentado a negar-me, preferindo-as, lembro à tua consciência: "Olha para mim. Fixa teus olhos em mim. Não os tires de mim".

Se a matéria não é grave, e dizes: "És meu rei, eu o reconheço, mas quero também esta criatura proibida", cometes um pecado leve. És indelicado comigo, pões obstáculos ao meu amor, porém não me forças a te abandonar.

No entanto, se dizes: "Não te quero mais como rei, submeto-me a esta criatura", eu me retiro. Não posso permanecer onde não sou bem recebido. Então, tua morada torna-se imediatamente escura e nela vem habitar o mal.

Nisto consiste o pecado: tirar Deus de tua vida. É a pior das tragédias!

Todos os males do mundo vêm por causa do abuso da liberdade. Nada do que criei é mal, por si mesmo. Não poderia criá-lo, apenas permito-o para que dele surja o bem. Se recusasse a liberdade aos anjos e às pessoas, eu poderia evitar que o mal aparecesse no mundo. Mas o dom da liberdade de pessoas que podem obedecer ou desobedecer é um bem maior do que um universo de criaturas sem liberdade.

Toda maldade vem dos pecados dos anjos e das pessoas. Adultérios, assassinatos, roubos, dolo, tornam o ser humano impuro. O soberbo é um impuro. O blasfemo é um impuro. O invejoso é um impuro. Negaram-se a servir o seu Deus. A pureza não só está aliada à piedade, mas é a mesma piedade porque quem é puro une sua vontade à minha. Não tendo sido atingido pelos desejos terrenos, é puro, por desejar que minha vontade seja feita. Então, "felizes os puros no coração, porque verão a Deus" (Mt 5,8).

O pecado trouxe ao mundo o sofrimento e a morte. O pecado é o terreno propício da pobreza e da insegurança. É a semente dos sofrimentos, das mortes, das guerras.

Compreendes, agora, mais claramente o que é o pecado? Vês que é como um ato de vandalismo semelhante à deformação de uma obra-prima de arte ou como a destruição criminosa de uma pintura rara, de uma estátua única, de uma construção magnífica? O pecado introduz insetos malignos e doenças nas plantas de um jardim belíssimo. Semeia a cizânia no meio do trigo, estragando a colheita. Intenta apagar, com o ácido da desobediência, o plano de felicidade do arquiteto divino.

Oxalá jamais penses no pecado como algo atraente. O pecado é agonia, é morte, é causa do inferno.

A FONTE DE TODO MAL

> *"Aquele que pratica o pecado é [filho] do diabo"*
> *(1Jo 3,8).*

Apesar de o mal resultar do pecado, nada de bem ou mal acontece sem a minha permissão. O bem é acompanhado de meu sorriso, o mal, de meu sofrimento.

O mal não é ilimitado. Os demônios desejariam fazer muitas coisas más. Eu, porém, os refreio. Satanás desejou joeirar Simão, como se faz com o trigo. Assim deseja fazer também contigo. Mas eu tirei-lhe todo poder sobre a tua vontade.

É tão sagrada a liberdade de tua vontade que nem mesmo eu sobrepor-me-ei a ela. Solicito, ajudo e influencio com impulsos, com exemplos que apresento, com pessoas que ponho em contato contigo. Contudo, a decisão final pelo bem ou pelo mal sempre será tua.

O que sofri no Calvário foi com a permissão de meu Pai. Ele não tirou das pessoas a liberdade, nem mesmo quando cometeram o deicídio.

Pensas que a cruz tenha sido algo exigido por meu Pai como expiação do pecado? Não, pois teria sido mais que suficiente o único fato de eu nascer. Não era necessário que eu morresse. Meu Pai, contudo, em sua sabedoria eterna, achou melhor que eu desse a maior e suprema prova de amor.

Como é admirável a vontade livre da pessoa humana!

Como homem, eu podia recusar a cruz. Prostrado no jardim das Oliveiras, eu não tinha, necessariamente, de aceitar o cálice. Também Maria era livre para aceitar ou recusar ser minha Mãe. Meu Pai envia-lhe um anjo para levar-lhe esta mensagem. E ela a aceita. Meus inimigos eram livres para pecar ou não, pois não foram obrigados a me crucificar.

Tudo isso não te dá um novo conceito da grandeza do dom da liberdade e do horror que deves ter ao pecado? Homens degradados pelo pecado condenaram-me à morte, flagelaram-me, coroaram-me de espinhos e me crucificaram.

Minha paixão e morte demonstram bem o que seria do mundo se o demônio fosse liberado. Que força apoderou-se dos romanos para consentirem em tão monstruosa crueldade? Que força se apoderou de Pilatos, tornando-o tão covarde, quando tudo pedia minha libertação? Que força apoderou-se de Pedro para que me negasse? Que força apoderou-se dos meus discípulos para fugirem aterrorizados, em plena noite? Que força apoderou-se de Judas para levá-lo a vender-me por um punhado de moedas de prata?

É isto que o pecado faz nas pessoas: torna-as tão covardes e más como os próprios demônios. É assim que o pecado destrói o plano de meu Pai: a felicidade das pessoas.

Pensas que o sofrimento, a morte, o inferno sejam algo que Deus tenha inventado para demonstrar seu poder, quando castiga o filho desobediente?

Longe disso! São efeitos do pecado, na onisciência de teu Deus.

Assim como o fogo queima, se pões a mão na chama, assim o pecado traz, necessariamente, pena e sofrimento. E porque somente o que é puro pode unir-se à Trindade na glória eterna, o purgatório e o inferno tornam-se necessários para os impuros: o purgatório para purificar as almas de modo que possam unir-se comigo e o inferno para aqueles que livremente escolheram não estar comigo.

Num sentido, o pecado de Adão e Eva tornou o sofrimento e a morte necessários. De acordo com os planos divinos, na sabedoria de meu Pai, são consequências do pecado cometido.

Da mesma forma que o pecado trouxe o sofrimento e a morte ao mundo, assim também teus pecados trazem pena e sofrimento não somente para ti mesmo, mas também para todas as pessoas. Cada pecado semeia misérias para o próprio pecador e também para o seu próximo. Cada pecado torna o mundo menos feliz.

Se os homens não vão para o céu sozinhos, também é verdade que não vão para o inferno sozinhos. Assim como todo o corpo sofre quando uma parte é atingida, igualmente meu Corpo Místico é atingido, quando um de seus membros é atingido.

Assim como é um prazer para o corpo humano quando todos os membros estão sadios, assim é também para meu Corpo Místico, quando seus membros procedem bem e são honrados por meu Pai.

O destino do mundo depende, em parte, de ti. A felicidade eterna de muitas pessoas está em tuas mãos. Está em teu poder, mediante tua liberdade, fazer que o mundo seja pior ou melhor. Tua vida pode ajudar muitos a fazer deste mundo uma antecâmara do Paraíso ou um vestíbulo do inferno.

GETSÊMANI

*"Então cuspiram no rosto de Jesus
e bateram nele"* *(Mt 26,67).*

Se queres conhecer o que é o pecado, medita o que foi a Sexta-feira Santa e a noite que a precedeu. Tão aterradoras foram aquelas horas, que meus apóstolos fugiram como pássaros amedrontados. Apenas um deles foi capaz de suportar ver-me morrer. Ouve-o, e ele te dirá o que viu.

Eu sou João, o discípulo a quem Jesus amava.

Não há palavras para dizer quão divino é o Senhor em seu amor, quão inabalável em seus propósitos e quão humano no sofrimento e na consternação.

Nas últimas horas da Quinta-feira, ele nos oferece o presente de seu próprio corpo e sangue. Fala-nos, demorada e dolorosamente, que vai para o Pai e que não deveremos temer. Avisa-nos que o mundo nos odiará e nos perseguirá. Consola-nos, prometendo o Espírito Santo e deixando-nos sua paz e sua alegria.

Pede ao Pai por nós, que sejamos todos um. Chamando-nos seus amigos, dá-nos o novo mandamento do amor. Viverá em nós, se vivermos de acordo com os seus mandamentos: "Eu sou a videira e vós, os ramos" (Jo 15,5).

Diz-nos que tudo que pedirmos ao Pai em seu nome, ou que tudo que lhe pedirmos em seu próprio nome, no-lo será concedido.

Tudo isto ele o faz com extremo carinho, repetindo-o várias vezes, com palavras diferentes. Dá explicações a Pedro, a Tomé e a Filipe, que lhe fazem perguntas sobre aquilo mesmo que ele tinha dito. Sentindo a dificuldade de nos deixar, prolonga a hora da partida, repetindo as mesmas ideias, como que a nos perguntar: "Entendestes o que eu vos disse?".

Depois saímos para o jardim, e ele se deixou vencer pela tristeza. Ordenou aos oito apóstolos que se sentassem, enquanto ele ia um pouco adiante para rezar. A seguir, chamou a Pedro, a Tiago e a mim, à parte, e nos disse: "Sinto uma tristeza mortal! Ficai aqui e vigiai!" (Mc 14,34).

Por que ele nos chamou, pedindo-nos que vigiássemos com ele? Será que procurava em nós algum conforto? Se foi assim, nós o decepcionamos.

Afastando-se um pouco mais, ajoelhou-se e, depois, prostrou-se com a face por terra, dizendo: "Abbá! Pai! tudo é possível para ti. Afasta de mim este cálice! Mas seja feito não o que eu quero, porém o que tu queres" (Mc 14,36). E rezou assim, durante certo tempo.

Levantando-se, veio ter conosco e encontrou-nos dormindo. Não queríamos dormir. Queríamos vigiar com ele, mas uma tristeza e certo pressentimento muito profundo nos dominavam com tal força que não podíamos resistir.

Dirige-se ele a Pedro, com sua maneira delicada: "Simão, estás dormindo? Não foste capaz de ficar vigiando uma só hora? Vigiai e orai, para não cairdes em tentação!". E acrescenta estas palavras que demonstram quão profundamente conhece nossa fragilidade humana: "O espírito está pronto, mas a carne é fraca" (Mc 14,37-38). E isso é verdade. Dormimos, não porque queríamos, mas porque éramos fracos.

Outra vez ele volta a rezar, prostrando-se com a face por terra: "Meu Pai, se este cálice não pode passar sem que eu o beba, seja feita a tua vontade!" (Mt 26,42).

Depois de pouco tempo, Jesus volta uma segunda vez. Despertamos e encontramos seu olhar fixo em nós. Não sabíamos o que dizer. Sem uma palavra de queixa, ele volta a repetir a sua oração.

Um anjo do céu vem confortá-lo, porque, agora, Jesus entrava numa verdadeira agonia. Seu sofrimento era tão intenso que seu suor se torna sangue, escorrendo-lhe pela face.

Por que ele nos procurou, por duas vezes, durante a sua oração? Em parte, porque os pecados do mundo pesavam assustadoramente sobre seu grande coração. Procurou quem o ajudasse e o confortasse, porém, não encontrou um só. Teve de voltar sozinho para continuar sua luta.

Ele nos procurou porque, mesmo em sua profunda amargura, estava ciente de que nos sobreviria a tentação e tínhamos necessidade de força para resistir. Logo mais, Pedro o negaria. Por isso, ele o aconselha a rezar. Pedro podia encontrar forças na oração, mas dormiu. Que lição para nós!

Como é sublime que ele pense em nós, mesmo em sua agonia!

Como é comovedor que ele encontre uma desculpa para nós: "O espírito está pronto, mas a carne é fraca" (Mc 14,38).

Como é humano em sua tristeza e divino em seu amor!

A TRAIÇÃO

"... um de vós me entregará" (Jo 13,21).

Depois da prova no Jardim, tendo obtido a vitória, calmo e sereno, mas terrivelmente grave, limpa o suor de sangue de sua face, acorda-nos e vai ao encontro dos inimigos.

Judas está perto e traz soldados e servos, alguns armados com espadas e paus. Outros carregam lanternas. Querem ter certeza de prendê-lo agora. Nem precisam preocupar-se, porque ele o quer e já está pronto.

Judas separa-se da turma. Jesus está em pé diante de nós. Unicamente sua presença nos impede de fugir.

O que pensa Judas, vendo o Mestre, pálido, desfigurado, marcado pela luta interior? Talvez pense assim: "Não posso fazê-lo. Não posso atraiçoar meu amigo íntimo, meu companheiro, meu mestre". Ou talvez: "Devo prosseguir. Recebi o dinheiro deles. Eles estão me observando. Vão me matar se os engano. De qualquer forma, eles já o têm aqui". Judas é um covarde. Por isso beija Jesus, como faria, estendendo a mão a alguém, num gesto de amizade.

O Mestre lhe diz: "Amigo, para que vieste?" (Mt 26,50). Judas entende o que ele quer dizer: por que fazes isto?

O Mestre prossegue: "Judas, com um beijo tu entregas o Filho do Homem?" (Lc 22,48). É esta a tua amizade, tu que eras meu companheiro?

Repara como Jesus está derramando graças na alma de Judas, como procura fortalecê-lo e salvá-lo. Não deveria ele voltar-se contra a multidão, lançar-lhe no rosto o dinheiro e pôr-se ao lado do Mestre? Pode ser tarde demais para salvá-lo, porém, não é tarde demais para Judas se salvar. Mas este é um covarde.

Quando beija aquela face, quando ouve aquela voz delicada e ao mesmo tempo vibrante, chamando-o de "amigo", que turbilhão de pensamentos não devem ter-se apoderado de seu espírito! Como seu coração não deve ter parado de bater, quando os primeiros sinais de um remorso desesperador o assaltaram!

Naquele momento, Jesus adianta-se e pergunta: "A quem procurais?".

"A Jesus de Nazaré!", respondem.

"Sou eu" garante-lhes o Mestre.

E tal força emana de sua presença que todos, amedrontados, caem por terra.

De novo perguntou-lhes: "A quem procurais?". E Jesus lhes diz: "Já vos disse que sou eu. Se é a mim que procurais, deixai que estes aqui se retirem" (Jo 18,4-8).

Então, Pedro desembainha a espada e fere o que está mais próximo.

É fácil pensar que tudo isso tenha sido apenas uma encenação. Mas foi realidade. Pedro feriu, e feriu mesmo para matar. O golpe atingiu Malco, servo do sumo sacerdote, cortando-lhe a orelha direita. Malco grita. Os guardas avançam. Mas Pedro, de espada em punho, fica à espera deles.

Jesus, porém, faz parar imediatamente aquele começo de derramamento de sangue. Manda Pedro guardar a espada, aproxima-se de Malco, toca-lhe na orelha e ele fica totalmente curado.

Com este milagre, o Mestre outra vez oferece a Judas a oportunidade de voltar atrás. E não somente ao traidor, mas também aos seus próprios inimigos.

Alguns deles, de fato, hesitam. No entanto, os chefes dos guardas, impelidos por Satanás, prendem Jesus.

Encorajados por sua resignação, os inimigos amarram-no com violência.

E nós, seus discípulos, não fizemos nada para libertar nosso Mestre. Pelo contrário, fugimos.

A FLAGELAÇÃO

"... estava sendo esmagado por nossos pecados" (Is 53,5).

Ele não quis que lutássemos para salvá-lo. Por isso, ordenou a Pedro que guardasse a espada.

Contudo, poderíamos tê-lo acompanhado, dando provas de que nossa lealdade era maior que o nosso medo. O espírito estava pronto, mas a carne era fraca.

E eles o levaram...

Juntando toda a nossa coragem, Pedro e eu seguimos a multidão, a certa distância, até o palácio de Anás e de Caifás. Uma vez que minha família e eu éramos conhecidos de Anás, permitiram-me entrar no pátio, ao passo que Pedro ficou fora.

Anás interrogou o Senhor sobre seus ensinamentos e seus discípulos. Quando Jesus lhe respondeu: "Eu falei abertamente ao mundo. [...] Pergunta aos que ouviram o que eu falei; eles sabem o que eu disse" (Jo 18,20-21), um servo feriu-o no rosto.

Esta foi uma das muitas bofetadas daquela noite terrível. Foi ferido, o rosto coberto de escarros, os olhos vendados, esbofeteado, desafiado a adivinhar quem lhe tinha batido. Em todos estes momentos, ele sempre se conservou silencioso. Eram golpes violentos que sacudiam sua cabeça, de um lado para o outro. Como devia doer e a náusea invadi-lo todo!

Atormentaram-no durante toda a noite. Pela manhã, depois de o condenarem, levaram-no a Pilatos. Já sabes que este procurou libertá-lo. Enviou-o, primeiro, a Herodes, e depois, propôs que fosse libertado, de acordo com o costume dos judeus, pelo tempo da Páscoa. Mas a multidão escolheu Barrabás, assassino e ladrão. Pilatos mandou-o flagelar, pensando, assim, satisfazer a multidão.

Sabes o que era a flagelação entre os romanos? Prendiam a pessoa, despida, a uma coluna, de tal forma que não podia mover-se e que cada golpe atingisse seu corpo em cheio, e com força. Foi o que fizeram com Jesus. Açoitaram-no com correias de couro em cujas pontas havia pedaços de chumbo e de osso, que rasgaram sua carne.

Os golpes caíam regularmente, como que marcados por um metrônomo: um, dois, três, quatro, cinco... Os primeiros deixaram vergões avermelhados na pele. Os seguintes arrebentaram-na e o sangue começou a jorrar. Depois, das costas ensanguentadas, saltaram pedaços de pele e de carne. Em cada golpe as correias envolviam o corpo e as pontas de chumbo e osso cortam-no e penetram nele cada vez mais profundamente. Apesar de o pobre corpo tremer e arquejar, o *zap! zap! zap!* da flagelação continua sem parar.

Jesus não dizia uma só palavra.

Os carrascos cerraram os dentes. Queriam forçá-lo a gritar, a pedir clemência, a suplicar, ou mesmo a blasfemar. Não queriam vê-lo calado.

O sangue corria de uma centena de feridas, manchando as vestes dos carrascos, os curiosos, a coluna, o chão, e juntava-se, em poças, aos pés da vítima.

Os carrascos pararam somente quando Jesus não podia mais sustentar-se em pé, quando a vertigem, a náusea e a fraqueza o forçaram a inclinar-se sobre a coluna, sustentado apenas pelos punhos presos. Não deviam matá-lo, pois Pilatos ainda não o condenara à morte.

Mas ainda não estão satisfeitos. Lembraram-se de que Jesus disse que era rei. Além de verem o corpo rasgado pela flagelação, queriam, agora, humilhar também seu espírito, ridicularizando-o. Para isso, lançaram um pedaço de pano vermelho sobre os ombros do Mestre, e colocaram um caniço em sua mão direita, como se fosse um cetro. Faltava-lhe a coroa. Um soldado entrelaçou uns ramos de espinheiro, amontoados ali no pátio para acender o fogo, e com eles formou uma espécie de coroa. Os espinhos eram agudos, compridos e duros. Colocaram a coroa na cabeça de Jesus, apertaram-na e bateram nela duramente. Os espinhos penetraram no couro cabeludo e atravessaram-lhe a fronte.

Então começaram as zombarias satânicas. Os soldados que tinham sido convidados para a brincadeira aproximaram-se, um a um, inclinaram-se e prostraram-se diante de Jesus, em atitude de zombaria. Arrancaram-lhe o cetro da mão e com ele bateram-lhe na cabeça e no rosto. O sangue jorrava outra vez de sua fronte; corria pelas sobrancelhas, pela face, sobre o nariz e pela barba.

Finalmente, cansados da brincadeira, levaram-no outra vez a Pilatos. Este, sempre indiferente, ficou chocado com o aspecto daquele homem. "Eis aqui o homem" – disse, apresentando-o ao povo.

Na verdade, era um homem, mas parecia um verme!

Sim, é um homem, vítima das pessoas humanas. No entanto, é também Deus.

Perguntas, agora, como puderam praticar atos tão diabólicos?

Podias tê-las praticado também. E todos nós podemos fazer o mesmo enquanto peregrinamos por este mundo. Entregues ao pecado, poderíamos cometer todos estes horrores. Só a lembrança deles faz-nos estremecer no mais profundo do nosso ser.

Isto é fruto do pecado das pessoas. O pecado pouco a pouco as destrói, até que, por sua própria vontade, elas escolhem o inferno.

JESUS CARREGA A SUA CRUZ

*"... tendo amado os seus que estavam no mundo,
amou-os até o fim" (Jo 13,1).*

Ficaste impressionado com as palavras de João? Levaram-te a uma nova compreensão da tragédia que é o pecado? Suportarias uma impressão maior? Suportarias ver-me carregar a cruz, pender dela e à vista de minha Mãe? Como tudo isto faria sofrer o seu coração! Pensa no quanto sofrerias se visses teu filho, tua filha, teu esposo, tua esposa, teu pai ou tua mãe sofrendo o que eu sofri.

Que clamor de tristeza partiria de tua alma, ao presenciares o corpo ensanguentado, desfeito; como te contorcerias de pena ao observares as quedas brutais pelas ruas pedregosas; como te contrairias ao fixares o rosto torturado; como gritarias ao ouvir as marteladas nos pregos. Talvez preferirias morrer a ver o pobre corpo desse ente querido pendendo do patíbulo!

Suportarias tanta dor?

Se Maria não tivesse sido a plenamente imaculada, preservada em toda a sua integridade, não poderia ter presenciado minha paixão sem enlouquecer. Ouve-a para conheceres mais o que é o pecado.

Meu filho, uma das dores de meu Filho Jesus foi a de presenciar meu próprio sofrimento. Vi-o morrer e, em espírito, morri com ele. Presenciei seu martírio, e ele presenciou o meu. Não podes conceber a dimensão da angústia que invadiu minha alma. E sua alma estava ainda mais angustiada.

Quando o levaram para ser crucificado, arrancaram de seus ombros o pedaço de pano vermelho com que o tinham ridicularizado. E outra vez as feridas se abriram e o sangue voltou a correr. Vestiram-no com suas vestes, com aquela túnica inconsútil que eu mesma lhe fizera. Ela ficou logo manchada, ensopada com o sangue de tantas feridas.

Trouxeram-lhe o pesado madeiro e colocaram-no sobre os ombros feridos e machucados. Ele começou a caminhar com passos lentos e incertos, atrás dos soldados. O peso da cruz o fazia vacilar.

O Gólgota não estava longe. No entanto, parecia uma eternidade chegar até lá. A rua era acidentada e pedregosa. A oscilação do madeiro no ombro de meu filho fazia correr mais sangue de sua cabeça coberta de espinhos. O sangue embaçava-lhe a vista. Ele mal podia ver onde colocava os pés. Pisou numa pedra, perdeu o equilíbrio e caiu.

A haste de madeira caiu-lhe pesadamente sobre o ombro, ferindo-lhe o pescoço. E os espinhos da coroa penetraram mais profundamente naquela cabeça que eu tantas vezes acariciei. Seu cabelo estava ensopado de sangue e de barro.

Os soldados ajudaram-no a levantar-se. E o cordeiro continuou sua caminhada para o matadouro.

Os joelhos e as pernas, aqueles membros tão belos que se desenvolveram nos anos de sua juventude estavam feridos, sangrando...

A cada passo, o pesado madeiro mudava um pouco de posição aprofundando e alargando aquela chaga viva de seu ombro. Já experimentaste carregar uma viga pesada, por um caminho irregular, mesmo sem ter os ombros feridos?

Jesus caiu uma e outra vez, por pura fraqueza. E cada vez o madeiro o esmagava mais cruelmente contra o chão. A extremidade do madeiro esmagava-lhe a mão. Aquela mão que acariciou minha face, aquela mão que eu beijara, quando ele era criança, aquela mão de rapaz que sustentava a madeira enquanto José trabalhava, aquela mão que curava os doentes e os inválidos, aquela mão que abençoava o povo.

Agora, esgotado, ele não podia mais aguentar o peso. "Vai morrer, se não o ajudarem" – pensam os soldados. Ignoravam, porém, que Jesus desejava chegar ao completo sacrifício. Somente ele podia oferecer sua vida; ninguém a poderia tirar.

Os soldados encontraram um homem para ajudá-lo. Era Simão de Cirene. Percebi que meu Filho aceitara a ajuda de Simão, e que também o abençoava. Também eu abençoei aquele homem generoso. Era justo que tivesse quem o ajudasse, nos seus últimos momentos, aquele que, durante sua vida, ajudara a tantos.

Então, chegamos ao Gólgota. Meu Filho trouxera a sua cruz para o lugar da execução. O sacrifício, o resgate, a missa iam ser oferecidos. Meu Filho morreria, para que os outros meus filhos e filhas vivessem.

A CRUCIFIXÃO

"Pai, perdoai-lhes!" (Lc 23,34).

Teu Senhor, em pé, com as pernas trêmulas, esperava... A cabeça estava inclinada. Suas forças desapareceram. Unicamente a vontade conservava-se indomável. Retiraram a cruz de Simão e colocaram-na no chão.

Chegara o ato final.

Arrancam-lhe as vestes que já se tinha colado às feridas abertas das costas, dos ombros, das coxas, das pernas, dos braços e mesmo a do peito. E, as feridas se reabriram, arrancando-lhe pedaços de carne.

Médicos que estudam o assunto ficam admirados de ele não ter desfalecido com a violência do choque que, neste momento, todo o seu corpo deve ter experimentado. O que eles imaginam, eu vi com os meus próprios olhos.

Os carrascos estenderam-no sobre a cruz, estiraram seus braços e marcaram os lugares dos cravos. Tomaram-lhe a mão e sustentaram-na firmemente. Apontaram o cravo em seu pulso e o martelo violentamente o fez penetrar na carne.

Sim, meu filho, os médicos procuram explicar o sofrimento que Jesus deve ter experimentado. Afirmam que por ter sido atingido o nervo principal do punho, uma sensação indescritível de dor deve ter invadido todo o braço, queimando como fogo, até o cérebro. Por não ter sido cortado, mas apenas ferido e deixado a descoberto, em contato com o prego, o nervo provocaria uma dor insuportável toda vez que o mínimo movimento o pusesse em contato com o prego. E esse sofrimento durou horas!

Os médicos dizem o que eles imaginam ter acontecido. No entanto, não poderias suportar se eu te dissesse o que meus olhos viram.

Mas quero te dizer uma coisa: por mais terrível que tenha sido a dor física, não foi a pior, na agonia de meu Filho. A agonia mental é pior! Aquela agonia que, no fim, arrancou-lhe dos lábios as desoladas palavras do salmista:

"Meu Deus, meu Deus, por que me abandonaste?" (Mc 15,34).

Os carrascos estenderam o outro braço de Jesus, apontaram o prego e levantaram o martelo. Momentos antes, eu tinha observado seu rosto contrair-se com dor indizível. Não suportei observá-lo outra vez.

Contudo, não pude deixar de ouvir as marteladas... Finalmente tudo silenciou. Levantaram a haste horizontal na qual Jesus estava cravado e a colocaram sobre a vertical que já tinha sido fincada no chão. Seu corpo todo se sacudiu pela dor. Estendendo-lhe os pés sobre a base da cruz, os carrascos cravaram-nos com violência.

Durante horas Jesus ficou suspenso entre o céu e a terra, sem receber a mínima consideração, o mínimo respeito, abandonado por seus apóstolos, por seus amigos e terrivelmente só.

Ele rezou: "Pai, perdoa-lhes!" (Lc 23,34). E também perdoou: "Em verdade te digo: hoje estarás comigo no Paraíso" (Lc 23,43). Fez seu testamento: "Mulher, eis o teu filho". E a João: "Eis a tua mãe" (Jo 19,26-27).

Desde este instante, és meu filho e eu sou tua mãe.

Não penses que as palavras lhe saíam dos lábios com facilidade. Cada vez que falava, devia fazer um esforço para se fazer ouvir. Devia fazer o ar penetrar nos pulmões, para respirar e para falar. E isso forçava os punhos e os pés transpassados, renovando toda a sua dor.

Observa como, no meio dos tormentos, suas palavras, sua oração, seus pensamentos são primeiramente em favor dos outros. Só depois de ter ouvido seus pedidos, formulados ou não, é que ele disse: "Meu Deus, meu Deus, por que me abandonaste?" (Mc 15,34) e "Tenho sede!" (Jo 19,28).

Então, ele se elevou com mais firmeza, pela última vez, e clamou com voz de triunfo: "Está consumado" (Jo 19,30); "Pai, em tuas mãos entrego o meu espírito" (Lc 23,46).

O sacrifício, o resgate, a missa terminaram...

Senti-me feliz sustentando aquele corpo, sem vida, em meus braços. Ele sofreu, é verdade. Mas nunca mais sofrerá. Sofreu por amor ao Pai. Entregou sua vida para glorificá-lo e para salvar a humanidade.

Ofereceu ao Pai a submissão completa da vontade que os homens lhe tinham recusado.

Satisfez a justiça divina, devolvendo ao Todo-Poderoso o que o homem e a mulher tinham roubado.

Meu filho, entrega-te ao Pai e abre o teu coração a seu amor. Une tua vontade à dele, de tal forma que em todo mundo não haja senão uma vontade, um só amor: a vontade e o amor do Cristo amante.

AS LIÇÕES DA PAIXÃO

> *"... alegrai-vos por participar dos sofrimentos de Cristo..." (1Pd 4,13).*

Quero que aprendas três lições de minha paixão e morte.

A primeira é o horror ao pecado. Foi ele que trouxe a brutalidade, a selvageria, o ódio, que culminaram em minha crucifixão. O pecado desencadeou o mal e a morte.

Tu, como todas as pessoas, tens o terrível poder de manter tua vontade afastada de mim. O que sentirias se a pessoa mais estimada por ti friamente se afastasse de ti e escolhesse viver na pior miséria? É isso o que eu sinto quando alguém me rejeita, escolhendo a miséria, de preferência à felicidade tão completa que jamais pessoa alguma imaginou.

Então eu digo o que disse a Jerusalém: "Quantas vezes eu quis reunir teus filhos, como a galinha reúne os pintainhos debaixo das asas, mas não quiseste!" (Lc 13,34). A segunda lição é que conformes tua vida com a vontade divina, mesmo sob as consequências do pecado. É vontade de meu Pai que as pessoas sejam livres. E embora esta liberdade, pervertida pelo pecado, me tenha sido causa dos piores sofrimentos, eu os aceitei. Adão recusou conformar-se com a vontade divina num assunto que dizia respeito somente a seu orgulho. O Filho do Homem conformou-se com a vontade divina, mesmo que isto lhe tenha custado a própria vida. Deves fazer o mesmo. Jamais blasfemes o teu Deus por aquilo que os pecados dos outros causam a ti.

Meus carrascos crucificaram-me, abusando das forças que eu mesmo lhes tinha dado. A força com que me feriram tinha sua origem em mim. Por si mesmo nada poderiam e nada seriam. Isto deve dar-te uma nova visão da humildade com que deves aceitar a vontade do Pai, e do abandono com que deves realizar as tarefas que ele exige de ti.

A terceira lição é que podes suportar todos os assaltos do pecado contra ti, se confiares plenamente em mim. Foi assim que os santos aceitaram o martírio. Tu também poderás aceitá-lo, se esta for a vontade de meu Pai.

O sofrimento é necessário para levar o espírito e o corpo à sujeição. Serás escravo ou senhor de tuas paixões. Quando aceito, o sofrimento liberta. Dei-te o exemplo, sofrendo todos os tormentos imagináveis: a tortura de cada membro e de cada junta, a tortura nas costas e na cabeça, a agonia do espírito pela tristeza de ser sido atraiçoado por um de meus amigos, a agonia do espírito por ter sido exposto a olhares obscenos; agonia do espírito pelo desprezo e pelo abandono que sofri na cruz. Enfim, pela agonia do espírito ao observar o martírio de minha própria mãe.

Sofri toda espécie de dor. E como as dominei todas, prometo-te que também tu dominarás qualquer sofrimento que eu peça de ti. Sim, dominarás e terás uma nova força sobre tuas paixões, algo daquela integridade da natureza humana, perdida pelo primeiro pecado.

Embora minha alma tenha mergulhado numa tristeza sem medidas, a ponto de eu ter pedido ao Pai que afastasse aquele cálice, contudo tive uma consolação: pensar em minha mãe, em meus santos e em ti. Tu me entenderias, serias fiel, e teu amor seria maior do que o ódio dos carrascos. Seguir-me-ias mais de perto que aqueles que me abandonaram. Vigiarias e rezarias mais que aqueles três que dormiram no jardim. Virias mais frequentemente a mim, no sacramento do meu amor, e viverias para mim e em mim. Serias comigo a vítima do Pai. Tua vida estaria unida ao meu Calvário, em uma missa gloriosamente redentora.

Isto me consolou. E sabendo que foi assim, podes continuar a decepcionar-me e a pecar, deliberadamente?

9. A MISSA E A EUCARISTIA

A MISSA

> *"Cristo nos amou e se entregou a Deus por nós"*
> *(Ef 5,2).*

Antes da agonia do Getsêmani, rezei assim a meu Pai: "Eu não rogo somente por eles [meus apóstolos], mas também por aqueles que vão crer em mim pela palavra deles" (Jo 17,20). E pensava também em ti.

Na cruz, rezei outra vez: "Pai, perdoa-lhes!" (Lc 23,34). Também, então, estavas em meu pensamento.

Ainda penso em ti e peço por ti da mesma forma, em cada sacrifício da missa.

Teu Deus pedindo por ti! Que mais podes desejar?

A missa é um ato perfeito de adoração. Antes de eu nascer (para a vida terrena), nenhum homem, nenhuma mulher, nem mesmo minha mãe podia oferecer à Trindade um ato perfeito de adoração. Agora podes oferecer uma homenagem perfeita, cada vez que uma missa é oferecida.

O que é uma adoração perfeita? É a renovação de meu sacrifício do Calvário. Lembra-te do que foi minha paixão. Revive a agonia do Getsêmani. Relembra o máximo desprezo com que minhas criaturas cuspiram em minha face. Deixa tua carne estremecer debaixo dos cruéis açoites e tua cabeça jorrar sangue copioso de centenas de feridas produzidas por espinhos. Carrega minha cruz, no meio de uma multidão exasperada. Deixa-te crucificar, pendente do madeiro, até que a morte misericordiosa venha silenciar todas as dores.

Isto é a missa. E ainda é muito mais.

Outros homens foram crucificados. Suas cruzes, porém, não foram altares de onde se elevasse uma adoração perfeita. Suas mortes não foram a missa. Esta é mais do que sofrimento. Sua essência está na união da vontade humana do homem-Deus com a vontade divina do Pai. Não teria havido homenagem perfeita ao Pai nem salvação, e não haveria missa se, na cruz, eu não tivesse oferecido minha vontade ao Pai.

A missa é a entrega de minha vida toda, culminando com a morte na cruz. O Calvário foi o supremo ato de sacrifício, por causa dos tormentos, do amor com que os abracei, e porque a pessoa que os oferecia era o mesmo Deus. Este ato de amor, esta adoração suprema, eu a renovo, na missa, mas de uma outra forma.

Começas, agora, a compreender mais claramente como a missa glorifica a Deus de uma forma perfeita? Eu mesmo, na pessoa do sacerdote, ofereço ao Pai a mesma adoração, a mesma reparação, o mesmo agradecimento, a mesma petição e o mesmo amor que lhe ofereci na cruz.

Entrego-me completamente à sua vontade. E, uma vez que, sendo homem, sou o ponto culminante da criação, a mais perfeita de todas as criaturas, a humanidade introduzida na mesma Trindade, quando uno minha vontade totalmente à de meu Pai, dou o testemunho perfeito de que ele é o supremo Senhor e dele depende, absolutamente, toda a criação. Isto é adoração.

Entrego-me em reparação pelas faltas da humanidade. Com esta total submissão à vontade direta e permissiva de meu Pai, submissão não apenas aos seus decretos, mas também a tudo que ele permite acontecer, satisfaço por todas as revoltas da humanidade. Isto é reparação.

Entrego-me, em agradecimento ao Pai, como ao supremo benfeitor das pessoas humanas. E este agradecimento é igual aos dons concedidos à humanidade. Isto é agradecimento.

Ofereço-me em petição, dizendo mais uma vez: "Pai, perdoa-lhes. E também derrama sobre eles uma fonte de graças de modo que não só se arrependam de seus pecados, mas que sejam purificados". Peço por ti, que o Pai aceite minha oferta como tua, meu corpo como teu corpo, meu sangue como teu sangue, minha vontade toda como toda a tua vontade. Enfim, que minha reparação, minha adoração, meu agradecimento, minha oração e meu amor sejam aplicados a ti como se fossem teus e partissem de ti mesmo.

Na cruz e na missa, meus lábios tornam-se teus lábios para louvar o Pai. Minhas mãos cravadas no madeiro tornam-se tuas mãos. Com elas serves ao Pai. Meus pés transpassados tornam-se teus pés. Com eles caminhas pelos caminhos do Pai. Meu coração aberto pela lança torna-se teu coração. E, silenciosamente, teu amor jorra para o Pai. Meus pensamentos, sempre voltados para ele, tornam-se teus pensamentos. Com eles te entregas todo ao Pai.

Participas de minha missa. E participas, também, de meus trabalhos.

Assim como carreguei nos ombros não somente a cruz, mas também os pecados de todo o mundo, da mesma forma, na medida em que eu permitir, carregas os pecados de toda a humanidade, do passado, de agora e do futuro. Podes também obter a salvação para a humanidade. A ti, também, pertence a redenção.

Adoras, por aqueles que não adoram ou o fazem raramente, e também por aqueles que adoram com indiferença. Por todos ofereces ações de graças, amor, petição e reparação.

Quantas coisas dependem de ti! Quantos pecadores, quantos incrédulos, blasfemos, quantas pessoas indiferentes necessitam das graças de tuas missas! Quantas almas no purgatório esperam teu auxílio! Em tuas mãos estão os meios de obteres fortaleza espiritual para toda a minha Igreja. Ainda que sejas pobre espiritualmente, tudo o que possuo é teu. Uma única missa, oferecida devotamente, em total e perfeita união com minha vontade, é de valor infinito.

Uma única missa assim oferecida vale mais para a paz e felicidade na terra do que as conferências de todos os grandes sábios do mundo.

Valoriza a missa, porque ela traz a salvação para a humanidade.

OFERECER A MISSA

"Santo, santo, santo é o Senhor do universo..." (cf. Is 6,3).

Desejas saber como podes unir-te comigo no oferecimento deste perfeito ato de adoração?

Em primeiro lugar, une a tua intenção à de toda a minha Igreja, desejando, cada dia, participar de todas as missas, onde quer que sejam celebradas. Em segundo lugar, participa da missa toda vez que as circunstâncias o permitirem.

Oferece tua missa juntamente com o sacerdote. Procura compreender o que fazes. Imita as disposições da vítima, na confiança, na humildade e no amor.

Na primeira parte da missa é realizado o *Ato Penitencial* no qual expressas o teu arrependimento pelos pecados que cometeste; em seguida, reza-se o *Senhor, tende piedade*, implorando a misericórdia do Pai.

O *Glória* te oferece oportunidade de adorar, agradecer e louvar a Trindade.

Na *oração do dia* pedes a ajuda de que necessitas para viver minha vida.

Durante a *Liturgia da Palavra* relembras o mistério da redenção e da salvação e, no *Creio*, renovas tua fé.

E assim estarás preparado para iniciar a *Liturgia Eucarística*. O sacerdote reza: "Bendito sejais, Deus do universo, pelo pão que recebemos da vossa bondade...", ao elevar para o alto a patena dourada que contém a hóstia. Este pequenino pedaço de pão, tão leve, tão insignificante, me representa, e em breve, se transformará no meu corpo.

Logo depois, o sacerdote põe o vinho no cálice e acrescenta uma gota de água, dizendo: "Pelo mistério desta água e deste vinho possamos participar da divindade do vosso Filho, que se dignou assumir a nossa humanidade". E a água mistura-se com o vinho. Como participas de minha divindade? Unindo tua vontade à minha. Que esta gota de água signifique tua vontade, misturando-se com o vinho de minha vontade, dissolvendo-se em minha vontade, tornando-se inseparável de minha vontade, de tal forma que tudo o que faças, seja meu e tudo que eu faça seja teu.

Entrega-te ao Pai, como eu mesmo me entrego a ele. Faze uma entrega consciente de todo o teu ser. Coloca na patena tua livre aceitação de tudo que é bom, de tudo que é triste em tua vida, como ela é no presente, como foi no passado e como será no futuro. Tiveste alguma amargura ontem? Coloca-a na patena. Algum acontecimento ultimamente te deixou alegre? Coloca-o na patena. Não guardes nada. Oferece tudo.

Depois de teres oferecido a ti mesmo, agradeces, no *Prefácio*, e te preparas, pela *Oração Eucarística*, para o estupendo milagre de amor que logo se realizará.

Na *Liturgia Eucarística*, pedes paz e unidade para minha Igreja, pedes o bem para todos os que estão presentes e para aqueles que te são queridos, os vivos e os que já foram chamados à presença do meu Pai, e juntas tuas orações às dos santos, dos anjos, de minha Mãe e, sobretudo, às minhas. E toda assembleia entra num grande silêncio, na expectativa do milagre. O mundo parece até parar de respirar. Neste momento, renova teus atos de renúncia, perdendo-te a ti mesmo em mim como a gota de água se perde no vinho. Não queiras senão o que eu desejo.

E chega o momento mais importante de todos, momento que não pertence à terra.

O sacerdote pronuncia minhas palavras e, no mesmo momento, *eu estou ali*, como Deus, como homem, como vítima de meu Pai, como teu alimento.

Esta hóstia que o sacerdote eleva, esta hóstia que o sacerdote, tu e eu oferecemos juntamente, sou eu mesmo.

E, ao mesmo tempo (acreditarias, se eu não o dissesse?), porque és um outro eu, porque és um comigo no Corpo Místico, de uma forma mística mas real, tu és esta hóstia.

Quando o sacerdote eleva o cálice de meu sangue, eleva também tua vida e tua vontade, porque nele, um momento atrás, foi misturada uma gota de água com o vinho, que se transformou em meu sangue redentor.

Pela ação de tua vontade, tua vida mergulhou no cálice de meu sangue. É uma oferta que meu Pai não pode recusar, pois como recusaria a mim mesmo? Porque tua vida está misticamente unida à minha, no cálice, tens o direito de, por assim dizer, colocar o dedo na borda do cálice e de incliná-lo um pouco para que uma gota do sangue redentor caia sobre os pecados das pessoas, purificando-as como se nunca tivessem pecado; sobre teus pecados, sobre os de tua família, de teus amigos, de tua paróquia, de tua comunidade, de tua nação, enfim, do mundo inteiro.

Neste momento, és inundado de graças. E, por isso, serás capaz de fazer tudo o que é necessário para chegar à santidade. Abriste o tesouro de meu Pai. Com tua inteligência iluminada e tua vontade fortalecida, serás persuadido e atraído a fazer, em tudo, a minha vontade. Terás coragem e perseverança. Pelo menos, parte do castigo temporal devido pelos teus pecados, dos quais estás arrependido (e como não te arrependerias deles?) está perdoada. E isto é verdade, não acerca apenas de teus pecados, mas também dos pecados dos outros, vivos e mortos.

Sabes que não haveria missa se o sacerdote a encerrasse logo depois da consagração. Ele deve completá-la. Igualmente tua missa. Será incompleta, se não a viveres.

Por isso, o *Rito de Encerramento* contém uma bênção que te dá forças para voltares às tuas atividades louvando e bendizendo meu Pai com tuas boas obras, vivendo como eu vivi, inspirado pelo Espírito Santo.

Consagraste tudo a mim, quando me ofereceste tuas alegrias e teus sofrimentos. Agora desejo que continues tua oferta. Renova-a conscientemente, muitas vezes durante o dia, quando estiveres contente, e também quando estiveres incomodado, decepcionado, cansado ou ferido.

É isto que faz a diferença entre a missa e a cruz: a oferta de *ti mesmo*. E é isto, também, que faz com que a missa de hoje seja diferente da de ontem, porque cada vez tens alguma coisa nova para oferecer.

Finalmente, que tua missa seja um ato de preparação para teu grande sacrifício: a morte. Durante minha vida eu oferecia ao Pai a paixão e a morte que viriam. Assim deves fazer: oferecer-lhe todos os sacrifícios, mesmo o do fim de tua vida, que um dia há de chegar.

"Está consumado" (Jo 19,30). "Pai, em tuas mãos entrego o meu espírito" (Lc 23,46). Nestas palavras estavam incluídos todos os trabalhos, pensamentos, palavras e orações de minha vida. Tudo eu entregava a ele. Tudo estava consumado: o resgate estava pago; os cativos, liberados; o céu, aberto. Toda a minha vida estava resumida naquele ato de união e amor. Assim seja também a tua missa.

Faze assim, e serás saciado com a abundância de minha graça. Beberás da torrente de minhas delícias, porque sou a fonte da vida, jorrando continuamente, na missa e na Eucaristia.

A HUMILDADE DA EUCARISTIA

"Realmente tu és um Deus que não se deixa ver"
(Is 45,15).

Há pouco eu te disse que, se estivesses presente à última ceia, terias aprendido duas lições: a do amor e a da humildade.

Quando começares a compreender a Eucaristia, começarás a perceber a grandeza de meu amor para contigo e a dimensão de minha humildade.

Olha para a hóstia: este pedacinho de pão fino e arredondado. Jamais as aparências disseram tão pouco!

Aparece como hóstia, e é um homem, eu mesmo, Jesus Cristo, nascido do Espírito Santo e de Maria. Aquele mesmo que curou os leprosos, que ressuscitou Lázaro, que deu vista aos cegos, que, sedento, pediu água à samaritana, que expulsou os vendilhões do Templo, que perdoou a adúltera. A hóstia sou eu – Jesus –, o médico, o mestre, o Salvador. Sou eu mesmo.

Mais admirável ainda, esta hóstia é Deus, Todo-Poderoso, onisciente, todo santo, todo bondade, todo amor. Esta aparência de pão é aquela vontade que tirou todas as coisas do nada, aquele poder que conserva a existência de todas as coisas, aquela inteligência da qual todo conhecimento e toda ordem têm origem.

Esta hóstia é o Deus, a respeito do qual o salmista cantava, milhares de anos atrás: "Tu estendes o céu como uma tenda..." (Sl 104[103],2).

Esta hóstia é o Deus que te criou, quem te conserva na existência. Se não te conservasse, não apenas desaparecerias, mas serias aniquilado de tal forma que não restaria de ti nem sequer a tua alma.

Esta hóstia cuida do teu alimento e do teu abrigo; envia-te os bons pensamentos e os bons desejos.

Esta hóstia, um dia, te julgará.

Esta hóstia é Deus e Homem. Sou eu mesmo. Tu o repetes, porém, não o podes compreender. E esta hóstia ama-te tão ternamente que te convida para seres um com ela. Esta hóstia preparou os teus caminhos, fez-se teu alimento para que pudesses participar, numa admirável intimidade, de sua própria natureza.

Olha para a hóstia, certo de que te estás fixando uma pessoa real que tem duas naturezas: a divina e a humana.

Porque sou homem, podes amar-me como amas os outros seres humanos. Deves amar-me com aquele amor que os apóstolos tiveram para comigo antes de me conhecerem como Deus, e o que tiveram para com minha humanidade, depois que conheceram minha divindade. Aceito este amor de humano para humano.

Mas deves ter para comigo também o amor de uma criatura para com o seu Deus. O amor de adoração, de completa entrega e de absoluta união com minha vontade.

Na Eucaristia entrego-me a ti. Nela deves também entregar-te a mim.

Pensas, às vezes, como é que posso estar presente na Eucaristia? Como pode ser que este pedacinho de pão, de um momento para outro, não seja mais pão, e sim o homem-Deus?

Já te esforçaste por entender como é que o pão, a carne, a bebida se transformam em tua carne e em teu sangue? Comes, e eu faço o resto. Se eu transformo o pão em tua carne, porque seria mais difícil transformar o pão em meu corpo? Seria mais difícil pelo fato de ser uma transformação instantânea e não gradual? Para Deus não há tempo. Um momento é a eternidade, e a eternidade não é senão um momento.

Dirás: "Por que, Senhor? Por que fazes assim?". Talvez estejas pensando naqueles que se revoltaram quando eu lhes disse que deveriam comer a minha carne e beber o meu sangue.

Eu te pergunto: quem se revolta quando alguém dá o próprio sangue a outro? Tu dás teu sangue em transfusão para que teus semelhantes tenham a vida mortal. Eu dou o meu sangue para que seja fonte de vida imortal.

Quem se revolta pelo fato de uma mãe aleitar o filhinho ao seio? Vê como retribuo aos homens o cêntuplo pelo amor que eles demonstram para comigo! Maria deu-me de seu próprio ser. E porque ela é a mãe da humanidade, eu dou às pessoas todo o meu ser. Maria alimentou-me ao seio. Eu te alimento com o meu próprio ser.

Podes pensar numa forma melhor de eu providenciar teu sustento espiritual? Haverá um meio mais eficaz de ajudar a tua transformação em mim? Vês como teu Deus é movido pelo amor e como procuro trazer-te para mais perto de mim?

Porque eu estava tão distante, não podias atingir-me. Tornei-me, então, um dos teus, uma pessoa igual a ti e a qual podes abraçar. Foi assim que as pessoas se aproximaram de mim, e de tal forma que me crucificaram.

Mas ainda era pouco. E porque eu queria estar mais próximo de ti, decidi, em minha sabedoria e amor divinos, dar-te o meu próprio ser.

Como? Uma vez que me fiz pessoa humana, igual a ti, podes sentir o amor de Deus. Contudo, para me entregar a ti completamente, como era minha vontade, eu tinha de tornar-me diferente de ti. Por isso, ocultei-me na aparência de um alimento e de uma bebida comuns, para que não receasses aproximar-te de mim.

Teu Deus não descansará, enquanto não estiveres bem perto dele. Ele se revela e se oculta. Aproxima-se e afasta-se. É tão simples e tão misterioso ao mesmo tempo! Torna-se pessoa humana e torna-se também pão. Faz tudo o que é mais simples e melhor para ti, mais adaptado à tua fraqueza.

Transformo-me naquilo de que necessitas, como se tu fosses o senhor e eu simplesmente o teu servo.

O AMOR DA EUCARISTIA

"Aqui a teu lado eu estou!" (Is 52,6).

Olha para uma criança, frágil e indefesa. Um dia, fui criança também. Mas, na hóstia, estou ainda mais desamparado.

Desci por etapas divinas: do céu para o seio de Maria, do seio de Maria para a manjedoura, daí para a cruz e da cruz para um pedaço de pão e um pouco de vinho. Fazendo-me teu alimento, eu poderia transformar-te em mim. Igualmente, por etapas divinas, poderias subir pela cruz, pela manjedoura do desapego de teu egoísmo, pela maternidade de Maria, até o céu, até a Santíssima Trindade.

Durante nove meses estive encerrado no corpo de uma criatura. E não apenas como também estiveste, antes de nascer. Tu não podias ter o sentido de limitação.

Na Eucaristia, estou ainda mais dependente e muito mais encerrado.

Maria carregou-me em si mesma. E tu o fazes também. Maria sustentou-me nos braços. E tu me sustentas em tua língua. Tens a reverência de Maria? Olhas amorosamente para mim como ela o fazia? Falas comigo, ouves a mim, e espiritualmente te ajoelhas aos meus pés, confessando o teu nada, como Maria o fazia?

Podes receber-me com frequência ou nunca, digna ou indignamente, com reverência ou com indiferença. Sempre estou esperando por ti, pela manhã e à tarde. Se quiseres, posso vir a ti espiritualmente, todas as vezes que não podes receber-me no pão consagrado. Desejo unir-me contigo o mais intimamente possível. Venho a ti como homem e como Deus. E tudo isto por amor.

Pensei em todas estas coisas, quando tomei o pão e, elevando os olhos ao céu, agradeci ao Pai Todo-Poderoso, dizendo: "Isto é o meu corpo" (Lc 22,19).

Aquele ato de elevar os olhos para o Pai não foi apenas um gesto. Já te afirmei que instituí a Eucaristia por amor. Por amor a ti e, sobretudo, por amor a meu Pai. Assim era a sua vontade. Percebes que, em certo sentido, teria sido um sacrifício muito maior dar-me em alimento à humanidade do que morrer na cruz? Naquele momento, era o mesmo sacrifício. Mas pensa no seguinte: não seria mais fácil para ti morrer uma só vez do que sempre entregares teu corpo e tua alma nas mãos das pessoas, fazer-te seu alimento, ser ultrajado por alguns, ignorado pela maioria?

Não lhes entregarias nem sequer tua fotografia, para que elas a utilizassem a seu bel-prazer, pelo tempo afora... Quanto menos teu corpo e tua alma!

Digo-te a verdade: entreguei-me a ti, mais completamente, na Eucaristia do que na cruz. Noutras palavras, na Eucaristia sou mais teu do que na cruz.

Como é íntima esta união de nossos seres, à qual és convidado, na Eucaristia!

A união do esposo e da esposa, no matrimônio, é a fusão de dois corpos, de duas almas, de duas vidas. Nossa união, na Eucaristia, é assim tão íntima?

Muito mais íntima!

A união da mãe com a criança que traz no ventre, faz de dois corpos, um só corpo. A criança é carne de sua carne e osso de seus ossos. Quando me recebes na comunhão, estou em ti, corpo e sangue, alma e divindade, tão realmente como o filhinho está nas entranhas da mãe. De modo geral, não sentes minha presença (ainda que, se for conveniente para ti, eu te concederei, alguma vez, esta imensa graça e consolação). No entanto, na comunhão, estou muito mais intimamente unido contigo do que o filhinho à sua própria mãe.

A união de tua alma com teu corpo constitui a tua pessoa. Podes conceber uma união mais íntima que esta? No entanto, nossa união no sacramento é ainda mais íntima.

Ainda que não seja senão uma comparação, posso dizer-te que a Eucaristia nos une como a Encarnação uniu minhas duas naturezas, como minha sagrada humanidade ficou unida à eterna filiação.

Não te inflamam estes pensamentos? Quero te mostrar o que é a Eucaristia, o que significa, o que realiza.

Ainda outros exemplos?

Quando venho a ti, na Eucaristia, unimo-nos, tu e eu, como a cera derretida se mistura a outra cera derretida, como a água do mar se mistura à água doce, como uma chama se une à outra. Estou mais unido a ti do que tua alma a ti mesmo. Finalmente, estou *em* ti e tu estás *em* mim. No Batismo, tu te tornaste membro de meu Corpo Místico. Na Eucaristia, porém, tornamo-nos uma só carne. Em certo sentido, temos o mesmo corpo e o mesmo sangue.

Entrega-te totalmente a mim e, mais cedo do que pensas, teremos os mesmos afetos, os mesmos desejos e a mesma vontade.

A COLABORAÇÃO COM CRISTO

"Eu sou o pão da vida" (Jo 6,35).

Os frutos da Eucaristia dependem, em parte, de tua colaboração comigo.

Nossa união será mais estreita e mais frutuosa para ti, se retribuires plenamente o meu amor e obedeceres com prontidão ao Espírito Santo, da mesma forma que o paciente que colabora com o médico reage melhor do que se ficasse indiferente. Depende de ti que nossa união seja mais íntima e mais durável. Que todas as tuas ações, os teus pensamentos e desejos sejam uma preparação para essa união. Desempenha tuas tarefas diárias com a perfeição que te é possível, com a única intenção de me servir. Poderás, então, dizer como eu: "Faço sempre as coisas que são do agrado do Pai" (cf. Jo 8,29). Procura compreender tua própria indignidade. Quem és tu, para que teu Deus venha a ti, e ainda mais, sob a forma de alimento? Quem és tu, para que a realidade eterna – *Aquele que é* – venha unir-se a ti numa tal intimidade que mal começas a entender?

Com estes pensamentos, inflama-te no desejo de me receber. Alimenta-o com atos de amor. Sopra, por assim dizer, sobre as centelhas, para que se transformem em chamas. Muitos de meus santos suspiravam, dia e noite, pela santa comunhão. Tal desejo não é impossível a ti. "Eis que estou à porta e bato; se alguém ouvir minha voz e abrir a porta, eu entrarei na sua casa e tomaremos a refeição, eu com ele e ele comigo" (Ap 3,20). Abre-me a porta de teu coração.

Isto não significa que deves vir a mim ardendo de emoção, com pulsações descompassadas, ou então, com lágrimas nos olhos. Não! Vem calmamente, serenamente, tranquilamente! Oferece-me tua vontade, teu entendimento, tua memória, teu corpo e tua alma. Oferece-me tua incapacidade de rezar como gostarias de fazê-lo.

Quando o sacerdote se encaminha para a mesa da comunhão, levando-me para ti, repete em teu coração: "Filho de Davi, tem piedade de mim!". Dirige-te a mim, com palavras ou sem palavras, recitando atos de fé, de esperança e de amor. Pede a minha mãe que te ajude a receber-me como deverias. Ela está ao teu lado quando venho a ti. Suplica a meu Pai e ao Espírito Santo que preparem em ti uma morada conveniente para mim.

Quando me recebes, oferece ao Pai aquele amor infinito com que morri para fazer a sua vontade. Entrega-te a mim para que eu te ofereça ao Pai em reparação, em ação de graças, em súplica e por amor.

Dirige-te a mim com sentimentos como estes: "Senhor, que vens corporalmente habitar em mim e que ficas espiritualmente comigo todos os dias de minha vida, ajuda-me a construir para ti, para teu Pai e o Espírito Santo uma morada mais conveniente do que a que posso oferecer-te agora. Ilumina-a com a luz da fé. Torna-a confortável, ornando-a com a confiança. Aquece-a com o fogo do amor. Fortalece seus fundamentos com a humildade e a paciência! Ó Senhor, permite a teu servo fraco e indigno, a quem tomaste por irmão, sendo contigo filho e herdeiro do Rei dos reis, que corresponda aos teus desejos, que te sirva e te ame do mais profundo de sua alma, como convém a tua natureza divina!".

Pede-me a fé, e eu não a recusarei. Pede-me a fé de um Luís de França. Certo dia, alguns membros de sua corte foram procurar o rei, alvoroçados, para lhe comunicar que eu me manifestara no sacramento da Eucaristia. E pediram-lhe que também fosse ver-me. Mas Luís, movido pelo

Espírito Santo, respondeu-lhes que não precisava ver-me com os seus olhos, pois acreditava na minha presença na Eucaristia. E preferia ser contado entre aqueles bem-aventurados que não me viram e, contudo, creram. Achas impossível ter uma fé como esta? Não! Basta que a desejes como Luís a desejava. Tem fé! Poderás, então, dizer com Catarina de Sena: "Ó Trindade! Eterna Trindade! Ó fogo! Ó abismo de amor! Não bastou criar-nos à vossa imagem e semelhança, fazendo-nos renascer da graça, pelo sangue do vosso Filho? Foi ainda necessário que désseis às nossas almas a mesma Santíssima Trindade como alimento? Vosso amor quis assim, ó Eterna Trindade! Vós nos destes não apenas o vosso Verbo pela redenção e pela Eucaristia, mas também a vós mesmos, com toda a plenitude do amor. Na verdade, a alma possui a vós, que sois a suprema divindade".

CRISTO VIVE NAQUELE QUE COMUNGA

"Quem come deste pão viverá eternamente" (Jo 6,51).

Minha humanidade é fruto do amor de Deus para com Maria e do amor de Maria para com Deus. Do amor de Deus para contigo e do teu amor para com Deus deve resultar o nascimento de um novo Cristo. Deves transformar-te em mim, pela Eucaristia.

Da mesma forma que o escultor, trabalhando a pedra ou o mármore, vai formando, aos poucos, a imagem que idealizou, assim também eu vou trabalhando tua vida. Com uma diferença: eu o faço muito mais tranquilamente, e com muito mais realidade. Sem que o percebas e, muitas vezes, sem que o percebam sequer teus amigos mais próximos, minhas feições vão aparecendo. Olhos humanos podem não vê-las. Meu Pai, porém, as vê, fica satisfeito e derrama sobre ti as suas graças e envolve-te em seu amor. Às vezes, quando menos esperas, revelo-te minha ação transformadora. De manhã te levantas, talvez ainda cansado e cheio de sono, achando que as coisas não estão indo bem. Não sentes vontade de rezar.

De repente, compreendes que estou no altar, que estou na hóstia, que aquilo que parece vinho é realmente meu sangue derramado por ti. Sabes que estou ali e não terias mais certeza disto, mesmo se me visses com teus próprios olhos.

Falas comigo com todo o teu coração ainda que não digas uma só palavra. Adoras e agradeces a mim, sem nada fazeres, como que sem movimento ou atividade alguma.

Tu me recebes!

Depois, na tua adoração, na tua ação de graças e no amor silencioso, começas a entender o que significava para Paulo quando escreveu: "Eu vivo, mas não eu: é Cristo que vive em mim" (Gl 2,20).

Minha presença penetra todo o teu ser. Sou eu que te guio. Não temos senão um só coração, uma só inteligência, uma só vontade. Guiando-te, dirigindo-te, inspirando-te, começo a conduzir tua vida. Começo a ordenar tua imaginação, tua memória, teu entendimento e tua vontade, para que estejam em harmonia comigo. Começo a moldar teus pensamentos, desejos e atitudes. Levo-te a amar não os dons de Deus, mas a ele mesmo.

Atribuis tudo a mim, pois é a minha vontade, e não a tua, que se torna o princípio condutor de tua vida. Abdicas de tua vontade para procurar tão somente a minha.

Quando vivo em ti assim, és, na verdade, um outro Cristo. Não desejas senão aquilo que te envio. Nada recusas daquilo que te dou ou que te permito. Tua vida está toda em minhas mãos, pois nelas a colocaste e nelas queres que esteja.

Com Cristo vivendo em ti, dás às três Pessoas da Trindade a glória que lhes é devida: adoração, ação de graças e amor, como teu Criador, Salvador e Santificador.

Na Eucaristia, não venho a ti sozinho. Onde estou, aí está também meu Pai. E onde estamos o Pai e eu, aí está também o Espírito Santo. E onde estamos nós, o Pai, o Filho e o Espírito Santo, aí está o céu.

Em sua atividade incessante, o Pai pronuncia o Verbo: seu Filho, eu mesmo. O Pai e eu expressamos mutuamente nosso amor. E este amor é o Espírito Santo.

Tudo isso se realiza em ti. Toda essa atividade da Trindade transforma-se num antegozo do céu. Ainda não nos possuis, vendo-nos face a face, como os santos da Igreja triunfante. Mas podes possuir-nos pela fé.

Se tiveres uma fé mais perfeita, a comunhão será para ti quase o céu. De fato, para muitos de meus santos, foi assim.

Enquanto a hóstia conserva as características de pão, eu estou sacramentalmente presente em ti. Trago-te uma extraordinária efusão de graças, enchendo tua alma de vida e fortaleza. Purifico-te de todo pecado. Basta que estejas arrependido. Desta forma, ficas fortalecido contra as tentações. Como poderia ser de outra forma, se eu estou contigo?

E o que acontece depois? Deixo-te, porventura, até a próxima comunhão? Não! Ainda que depois daqueles preciosos momentos da união sacramental, meu corpo, sangue e alma não estejam mais em ti, contudo permanecemos ligados por uma união maravilhosamente estreita. Minha divindade permanece contigo e em ti. O Espírito Santo, que habita em mim, permanece em ti, de um modo especial. Desperta em ti pensamentos, desejos e disposições semelhantes aos meus pensamentos, desejos e disposições.

O Pai, o Espírito Santo e eu continuamos a viver em ti. Moramos em ti. E assim como, sendo três, habitamos um no outro, assim também habitamos em ti. Estás em companhia do Pai e de seu Filho, Jesus Cristo. Assim, teu ser é um céu, porque o próprio Deus está ali.

E é por isso que, quando deixas a igreja e vais para as tuas atividades, nós três te acompanhamos, de um modo especial. Que verdade admirável!

Andas com a Trindade. Possuis a mesma *vida*. Minhas atividades jamais me fizeram esquecer da contemplação. O mesmo deve acontecer contigo.

Servindo a tua família, a teu empregador, a teus clientes; nas relações com os teus empregados ou filhos; no trato com teus amigos, conhecidos, ou vizinhos, lembra-te sempre de que Deus habita em ti – és, de um modo especial, um outro Cristo!

Não trabalhas sozinho, porque eu trabalho em ti.

Não serves aos outros sozinho, porque eu os sirvo em ti.

Não sofres sozinho, porque eu sofro em ti.

Não sorris sozinho, porque eu sorrio em ti.

És vítima comigo. Adoras comigo. Agradeces comigo.

Amas comigo. Vives, mas não vives sozinho, porque eu

vivo em ti. És, finalmente, um outro Cristo.

PARTE III

O fim

PARTE III

Obras

10. A META FINAL

UMA TESTEMUNHA DE CRISTO

> *"Vós sois as testemunhas..." (Lc 24,48).*

É tempo de concluir.

Se queres verdadeiramente ser um outro Cristo, deves levar adiante minha missão. E esta consiste em trazer todos os seres humanos para o meu Corpo Místico. Deves auxiliar-me.

Antes de voltar para o Pai, eu disse aos meus apóstolos: "Sereis minhas testemunhas em Jerusalém, por toda a Judeia e Samaria, e até os confins da terra" (At 1,8).

Deves, portanto, ser minha testemunha.

Que espécie de testemunha és tu?

Quando tua religião é atacada ou mal apresentada nas conversas, ficas calado? Quando meu nome é profanado, tens medo de demonstrar tua desaprovação?

Talvez racionalizes tua timidez, dizendo para ti mesmo: se demonstro desaprovação, torno-me impopular e menos apto para promover os aspectos positivos da fé.

Pedro e João foram levados diante dos chefes, dos anciãos, dos escribas, e avisados de que não deveriam mais ensinar em meu nome. Eis a resposta que deram: "Julgai vós mesmos se é justo, diante de Deus, que obedeçamos antes a vós do que a Deus! Quanto a nós, não podemos deixar de falar sobre o que vimos e ouvimos" (At 4,19-20).

Estêvão, o primeiro entre os que me seguiram a morrer pela fé, corajosamente levantou-se diante do Sinédrio e contou toda a história das perseguições feitas aos profetas. Acusou os sinedritas de resistirem ao Espírito Santo, justamente como os seus antepassados tinham feito. Tomados pelo ódio, eles o apedrejaram.

Paulo pôs-se em contato com todos: judeus, gentios, governadores, mágicos, sábios de Atenas e com as multidões. Nos mercados, nas praças, nas sinagogas, nas casas particulares, em toda parte pregava ardorosamente meu nome, conversando com uma ou com dezenas de pessoas, sempre introduzindo a Boa-Nova da salvação para a humanidade e do amor de Deus.

Não peço que sejas um pregador como Pedro, Estêvão ou Paulo. Mas, de acordo com teu estado de vida, deves ser minha testemunha.

Eu te prometo o que prometi a Paulo: "Não tenhas medo; continua a falar e não te cales, porque eu estou contigo. Ninguém te porá a mão para fazer mal" (At 18,9-10).

Não fiques indeciso e temeroso. Não te desculpes, não esperes modificações ou formas mais fáceis de seres minha testemunha. Tens minha promessa e isso te basta.

Tua indecisão nasce do orgulho, de pensares que teu sucesso depende de ti. É por isso que contemporizas.

Basta que ponhas à minha disposição a tua boa vontade e eu protegerei teu espírito e teu corpo com minha força. Com meu auxílio podes e serás minha testemunha. Não hesites, ainda que sintas uma natural repugnância em parecer esquisito aos olhos dos outros. Entrega-te a mim e expressa teu pensamento calmamente, certo de que te darei palavras, fortaleza, coragem...

Não penses, porém, que serás meu apóstolo, sem esforço. Não penses que Paulo tinha apenas o trabalho de entrar nas cidades, de pregar um ou dois sermões, de batizar os convertidos que acorriam aos milhares, e depois seguir seu caminho para novas missões e novas cidades.

Paulo pregou durante vários anos, em regiões da Síria e da Cilícia. Esteve um ano em Antioquia, dezoito meses em Corinto, três anos em Éfeso. Ensinava ora aqui, ora ali, demorando-se onde era bem recebido. Pelo contrário, partia, quando, depois de bastante tempo, não o queriam ouvir, o injuriavam ou o perseguiam. Durante três meses, ensinou na sinagoga de Éfeso. Depois, por causa das violentas e inúteis discussões naquele lugar, retirou-se para a escola de um certo Tyrannus. Ali ensinou, durante dois anos.

Paulo encontrou violentas oposições, muito mais violentas do que poderia suportar. Mas seu zelo era tão grande que, mesmo prisioneiro em Roma, convidava as pessoas para junto de si e lhes anunciava Jesus Cristo. Fez isto durante dois anos. E até encontrou tempo e energia para escrever muitas de suas cartas.

Não prometo livrar-te de trabalhos e provações. Prometo tornar teu fardo leve. Carregarás somente uma parcela de minha cruz. Eu carregarei o resto.

Encontrarás incompreensões como eu as encontrei, quando predisse a Eucaristia. Foi uma palavra bastante dura.

Terás de sofrer calúnias e acusações. Eu também as sofri, e até mesmo a de ser possuído pelo demônio.

Teus parentes e amigos podem voltar-se contra ti e magoar-te. Meus próprios parentes também me magoaram, quando julgaram que eu tinha perdido o juízo. Contudo, sempre estarei contigo. No mais íntimo de tua alma terás minha consolação e compreenderás que os teus sofrimentos não têm comparação com a alegria de seres minha testemunha.

TESTEMUNHA PELO EXEMPLO

> *"... brilhe a vossa luz diante das pessoas"*
> *(Mt 5,16).*

Peço que corrijas delicadamente o erro evidente, quando isto te for possível. Ao mesmo tempo, porém, previno-te seriamente para que não te transformes numa espécie de censor. Sê caridoso e, sempre que possível, interpreta bem as palavras e ações dos outros. Estes agem, às vezes, pensando estarem agindo bem. Uma observação de duplo sentido muitas vezes perde completamente a força, quando reages com delicadeza, como se ela fora totalmente inocente.

Evita ser um desmancha-prazeres ou ver o mal em toda parte.

Tem cuidado para não pregares "sermões". Na conversa, não evites falar de religião, nem a introduzas artificialmente. Sê natural e razoável.

Sê minha testemunha, com o teu exemplo. O testemunho de tuas atitudes e ações, por mim ou contra mim, é imensamente mais poderoso que o de tuas palavras.

Procura tornar-te e conservar-te atraente: limpo no vestir, amável nos modos, caridoso nas palavras, pronto para auxiliar. Faze o teu trabalho com diligência. Usa as coisas deste mundo com sabedoria, por causa de mim, de modo que os outros pensem bem de ti e possas ter um influxo eficaz sobre eles.

Sê zeloso. Quantas pessoas pouco ou nada sabem a meu respeito. Quantos membros de minha Igreja raramente pensam em mim. Mostra-lhes, pelo teu exemplo, o que é ser um outro Cristo.

Pela participação frequente e diária, se te for possível, mostra-lhes quanto a missa e a comunhão significam para ti. Faze-lhes compreender como valorizas a oração. Visita-me frequentemente na igreja. Participa das devoções do terço e das celebrações paralitúrgicas.

Participa das atividades paroquiais, de acordo com as tuas habilidades, com o tempo de que dispões.

Há muitos modos de ser minha testemunha: na Legião de Maria, na Sociedade de São Vicente de Paulo, na Adoração Noturna, nos Cursilhos de Cristandade, nos Movimentos de Jovens, no Movimento Familiar Cristão e em tantas outras organizações.

Sendo um outro Cristo, deverias ser diferente, de uma forma salutar, atraente e santa. Em casa, no trabalho, no divertimento, onde quer que estejas, qualquer coisa que faças, esta diferença será um testemunho de mim.

Deves irradiar calma e serenidade próprias de quem entregou sua vontade ao Deus todo-amor, todo-sabedoria, Todo-Poderoso. Num tempo de agitação, de dúvidas, de temores, convém seres uma rocha de confiança.

Teu rosto deve refletir aquela força amável que é sinal e marca de santidade.

Revela em tuas atitudes uma espécie de corrente secreta de alegria e satisfação, de modo que os outros se sintam felizes em estar contigo.

O mais importante de tudo: uma atmosfera de caridade deve envolver-te como um manto. Tuas ações e atitudes devem indicar, suavemente, que amas teu semelhante como eu te amo. Faze-lhes compreender teu amor por eles, não por palavras explícitas (a não ser quando são naturais e apropriadas), mas por ações. Pensa a respeito dos outros como pensas a respeito de Cristo. Serve-me neles, pregando, com tua vida, meu Evangelho de amor. Que tuas palavras, tua voz, teus gestos e ações falem aos membros de meu Corpo Místico, e aos que ainda o são potencialmente, que tu os amas como eu os amo, com um amor capaz de nos levar à morte por eles, de nos levar à cruz em lugar deles.

UM TESTEMUNHO SACERDOTAL

"Ide, pois, fazer discípulos entre todas as nações..."
(Mt 28,19).

Com razão, Pedro disse que os membros de minha Igreja constituíam "um sacerdócio santo" (1Pd 2,5). Alguns são ordenados sacerdotes pelo sacramento da Ordem, e têm o poder sacramental. Mas todos os membros, homens, mulheres e crianças, são sacerdotes pela união espiritual comigo.

De acordo, pois, com teu estado de vida, tu e todos os meus sacerdotes têm a obrigação de ensinar minha doutrina.

Relembra a parábola daquele senhor que distribuiu os talentos entre os servidores para que os negociassem até ele voltar? O cristão, que esconde seu cristianismo, temendo apresentá-lo ou falar dele, não se assemelha, porventura, àquele servo que enterrou o único talento que recebera? É cristão em sua vida particular, porém, na vida pública, apenas um "bom sujeito", porque, temendo expor-se a um possível ridículo, enterra a riqueza do cristianismo. Sem se arriscar, nada ganhará.

Não é justo que tal servo seja chamado de preguiçoso, inútil e mau?

O Reino de Deus é como o grão de mostarda. Tão insignificante no começo, deve crescer até se estender a toda a terra. Preciso de ti, para me ajudares neste crescimento. Tenho planos para ti, neste apostolado.

Teus vizinhos admitem a existência do Deus Todo-Poderoso, e até um pouco mais. No entanto muito pouco conhecem o amor que tenho para com eles. Raramente se perguntam: "O que quererá Deus de mim nesta ação?". Raramente fazem um esforço para conhecer minha vontade. Reconhecem o Reino de Deus numa forma tão vaga e irrealista como sabem que existe fome na China ou em outros lugares longínquos.

É o grande mal do mundo moderno. O Reino de Deus está tão próximo e, no entanto, são tão poucos os que aceitam a minha lei! Não o integraram em suas vidas.

Deves ajudar-me a aproximar-me deles. Na rua, no lar, no escritório, na loja, na fábrica, na praia, na academia, no hospital, na universidade, na escola, nos tribunais, nas prisões, nos teatros, nas bibliotecas, em toda parte deves ajudar-me a trazê-los a mim. Deves apresentar-me, pelo teu exemplo, pela tua vida e apoiar-me com tuas orações. Devo dar-lhes a vida eterna. Devo torná-los santos. Para tanto, preciso de ti! Sê zeloso! Sê vigilante! Sê incansável! Sê generoso!

Quando nasci, os pastores não temeram dizer o que tinham visto e ouvido.

No templo, Ana, a profetisa, logo que me reconheceu, começou a louvar e a falar de mim a todos os que esperavam a redenção de Jerusalém.

Os magos vieram e não hesitaram em perguntar, abertamente: "Onde está o rei dos judeus que acaba de nascer? Vimos a sua estrela no Oriente e viemos adorá-lo" (Mt 2,2).

João Batista, indo por toda a região do Jordão, não temeu pregar a penitência e a preparação para a minha vinda.

André, quando me encontrou naquele primeiro dia, não hesitou em ir procurar seu irmão Simão, para dizer-lhe: "Encontramos o Cristo" (Jo 1,41). E trouxe-o para mim.

Não me revelei a ti com muito mais clareza do que a qualquer um destes? Por que não procuras teu irmão, teu vizinho e teu amigo para dizer-lhes com tua vida, teu exemplo, se não com palavras: "Vem conosco! Encontramos o Messias, o Salvador, o Senhor?".

Realizei milagres em favor de Pedro, João, Filipe e dos demais apóstolos, com o fim de dar autoridade às suas palavras. Sabes que Pedro curou o mendigo paralítico que estava sentado à porta do Templo. E também um outro da cidade de Lida, que durante oito anos jamais se levantara da cama. E ainda, ressuscitou Tabita, em Jope. Dei a Pedro tal poder, que o povo costumava trazer os doentes para as ruas e deixá-los ali, em camas ou enxergas, para que Pedro, ao passar, pudesse curá-los tão logo fossem atingidos por sua sombra.

Paulo de Tarso também realizou maravilhas em abundância, usando o poder de meu nome: curou o paralítico de nascimento, em Listra, e ressuscitou o jovem que caíra da janela de uma casa de três andares, e viera a falecer. Pedaços das vestes de Paulo eram aplicados a doentes e a possessos do demônio, e eles imediatamente ficavam curados e purificados.

Não poderei fazer alguma coisa por ti, se for necessário? Serei menos poderoso, agora, do que então? Estarei, agora, menos preocupado que as pessoas conheçam a verdade e vivam minha vida? Darei autoridade às tuas palavras, mesmo mediante milagres, se for necessário. Tua vida, teu exemplo, tua identificação comigo exercerão tal influência que, quando as pessoas te virem, reconhecerão que és meu discípulo, e ouvindo-te, acreditarão. Esta é minha promessa.

Deves ser um apóstolo! Tua vida deve ser reverente, agradecida e cheia do amor de Deus!

Eu te chamei. És um escolhido. És meu sacerdote.

Sê santo. Vive honestamente, dando a cada um o que lhe é devido. Sê modesto, humilde, amável. Não retribuas injúria por injúria, palavras duras por palavras duras, mas faze com que os outros participem dos dons que recebeste de mim. Esteja sempre pronto para dar testemunho de tua fé, como convém a um sacerdote meu.

Assim proclamarás a bondade de teu Deus, o qual te chamou das trevas para a luz, para que fosses sua testemunha, seu sacerdote.

UMA VÍTIMA SACERDOTAL

"... estou em vossas mãos" (Jr 26,14).

Como minha testemunha sacerdotal, tens de ensinar comigo. Como minha vítima sacerdotal, tens de oferecer sacrifício comigo.

Cada membro de meu Corpo Místico deve oferecer sacrifício pelo pecado. Deves ajudar a completar, como disse Paulo, o que falta aos meus sofrimentos.

Não que a redenção tenha sido insuficiente, ou que uma única gota de meu sangue não bastasse para remir todo o mundo. Pelo contrário, ofereci ao Pai muito mais do que era necessário, para remir o gênero humano. E isto é verdade por causa do amor com que sofri, e da santidade de vida que ofereci, pois era a vida do homem-Deus. Finalmente, por causa dos terríveis sofrimentos que padeci.

Alguma coisa, contudo, ainda está faltando: tua participação em minha reparação, mediante a união de tua vontade com a minha.

Consente, de boa vontade, em obedecer e sofrer comigo. Nada te faltará, então. Não temas, pois jamais te provarei demasiado severamente. Confia em mim. Apoia-te em mim. Quero ajudar-te mais do que tu mesmo esperas ser ajudado.

Já te disse que tudo o que fiz, foi pelos membros de meu Corpo Místico, como se eles mesmos o tivessem feito.

Eu te incorporei a mim. Portanto, minha vida é a tua vida; e tua vida é a minha. Eu vivo em ti, e tu vives em mim.

É teu privilégio inestimável ser vítima comigo e corredentor da humanidade. Oferece comigo tua vida ao Pai. Assim reparamos os insultos, as negligências, as ingratidões da humanidade de ontem, de hoje e do futuro.

Oferece à Santíssima Trindade cada passo de tua vida. Cada momento seja uma glorificação de teu Deus, que te criou, te remiu e quer santificar-te. Cada instante de tua vida seja um "Deus seja bendito"! Assim, oferecendo-te a ti mesmo, em união comigo, que habito em ti, és uma vítima santa, uma vítima digna, reparando o mal da humanidade de sempre, e oferecendo o sacrifício do próprio Deus ao mesmo Deus.

Sê vítima por teu abandono.

Eu aceitei a palavra de meu Pai com referência à minha vida na terra. Da mesma forma, aceitarás a palavra de Deus com referência a tua vida.

Entrega teu presente e teu futuro totalmente em minhas mãos. Aceita, em qualquer ocasião, meus planos a teu respeito. Será um grande sacrifício, mas também uma grande alegria.

Não peço que faças coisa alguma diferente daquilo que outros, antes de ti, fizeram. Eu te ensino mediante os exemplos dos outros.

Zacarias e Isabel não tinham filhos. Suas orações pareciam não ser ouvidas. Nem pensavam em ser pais de um dos maiores personagens da história, um filho escolhido por Deus para realizar uma missão especial, no seio do meu povo. Contudo, perseveraram em suas orações e cumpriram, fielmente, meus mandamentos e as observâncias religiosas.

João Batista também não sabia qual o destino que lhe estava reservado. Sabia apenas que sua missão, no momento, era pregar, batizar e fazer penitência. E o fez com toda fidelidade.

Até a anunciação, Maria não sabia quais eram os planos de Deus sobre ela. Sabia-se, porém, serva do Senhor, pronta para fazer a vontade divina sempre, sem hesitar e com profunda fé.

José nada conhecia do que os planos de Deus reservaram a Maria, até o momento em que o anjo lhos revelou.

Pedro, o pescador, jamais sonhou que estava destinado a ser meu vigário na terra.

Paulo, dirigindo-se a Damasco com o fim de me perseguir, nem pensava que eu iria transformá-lo no apóstolo das nações.

Todos estes conheciam tão pouco a respeito de seu futuro, como tu a respeito do teu.

Reconheciam seu nada, como eu também reconhecia que minha natureza humana não era nada diante da divindade.

Se eu, como homem, era nada, e assim procedi, entregando meu corpo para ser flagelado e crucificado, deves compreender que és nada e que teu único desejo deve ser completar meus desígnios a teu respeito.

Aceita sempre tudo o que te acontecer, como presente de meu amor. Considera cada dia, cada momento de tua vida, como uma "caixa de surpresas", dada por quem te ama muito mais do que podes imaginar. Está cheia de surpresas, de coisas boas. É mesmo um tesouro. Aceita tudo.

Apresenta a meu Pai a obediência que tantas pessoas recusam. Sê, finalmente, minha vítima, mediante a tua renúncia.

VÍTIMAS VITORIOSAS SOBRE O PECADO

"Carregai os fardos uns dos outros" (Gl 6,2).

Sê vítima comigo, mediante as tuas orações.

Teresa de Lisieux viveu no claustro. No entanto, com suas orações foi não somente uma grande missionária, mas uma vítima eficaz para muitas pessoas.

Catarina de Sena tomou sobre si os pecados e sofrimentos de muitos. Tornou-se vítima por eles, perseverando na oração e na mortificação até obter a vitória.

E Mônica, com suas orações, obteve a graça da conversão de seu filho, Agostinho.

Enquanto estiveres na terra, pouco conhecerás o valor e a força da oração.

Na festa de núpcias de Caná, a "oração" de minha mãe mudou o esquema de minha vida pública. Quando eu disse: "A minha hora ainda não chegou" (Jo 2,4), afirmei que fora seu pedido que fizera chegar minha hora, naquele momento e naquele lugar.

Tornei-me também vítima pela oração.

Assim como pedi por todas as pessoas, assim deves pedir por todos os membros de meu Corpo Místico, por todos os que estão fora de meu redil, para que todos formem um só rebanho.

Quando rezas, não o fazes sozinho, mas como membro de meu Corpo Místico. És um outro Cristo, rezando. Assim, minha oração é perfeita: pode converter incrédulos, transformar pecadores em santos, libertar as almas do purgatório e salvar os moribundos dos ameaçadores castigos do inferno.

Sê vítima comigo, mediante tua oração.

Sê minha vítima também no sofrimento e na tristeza. Todo ser humano tem de participar do sofrimento e da tristeza trazidos ao mundo pelo pecado. Mas como é lamentável ver este ouro precioso do sofrimento lançado fora, como se nada valesse!

Quando eu disse: "Felizes os que choram, porque serão consolados" (Mt 5,4), não falei em vão. A bênção inestimável que ofereço àqueles que são plenamente outros Cristos é a capacidade de transformar o sofrimento em graça.

Quando estás sofrendo, eu te prodigalizo meus melhores cuidados, minhas bênçãos mais escolhidas.

Se, na cruz, entre tormentos indescritíveis, pude lembrar-me dos outros, dando Maria como mãe a João, e este como filho a Maria, poderei esquecer-me de ti, quando estiveres no Getsêmani de teu sofrimento?

Se envio cruzes é porque elas te transformam num corredentor da humanidade.

Não sabes quantas almas foram salvas pela participação de Maria em minha paixão. Em parte, este foi o motivo por que permiti que ela sofresse comigo. E esta é também a razão de permitir que sofras comigo.

Os sofrimentos que não pude suportar nos poucos anos de minha vida terrena, eu os aceito e ofereço, por meio de ti.

O soldado num leito de hospital, com a perna amputada; o atleta inesperadamente paralítico pela pólio; o cego, o surdo, o mudo; o estudante que fracassa nos exames; a esposa ou o esposo infelizes no casamento; o filho de um lar desfeito pelo divórcio; o pai de família sem trabalho, tudo são sofrimentos não experimentados por mim. Agora, porém, eu os suporto em meu Corpo Místico, e também quero suportar em ti.

Não é, então, um privilégio maravilhoso completar minha paixão? Não é, então, verdade, como dizia Francisco de Sales, que "se a inveja pudesse penetrar no reino do amor eterno, os anjos invejariam os sofrimentos de Deus pela humanidade, e os desta, por amor a Deus"?

Dá-me teu sofrimento.

Quando a enfermidade te assedia; quando teu corpo pede repouso e o trabalho parece superior às tuas forças; quando as tarefas que te são confiadas parecem te rebaixar; quando a insônia te aflige, a dor de cabeça te atormenta, a fome te assalta – és minha vítima. Junto cada sofrimento teu às dores que experimentei carregando a cruz e morrendo no Calvário.

Quando és atormentado por preocupações que pareces não poder dominar; quando és ridicularizado ou desrespeitado; quando és insultado, deixado de lado, repreendido; quando tremes de medo, por causa de uma obrigação a cumprir, de um discurso a pronunciar, de uma comunicação a fazer; quando tens de fazer apostolado, visitando as famílias, sem saber como serás recebido; quando tens de pedir auxílios ou contribuições; quando sentes o aguilhão da pobreza... és corredentor comigo. Junto teu sofrimento moral ao meu temor da cruz, quando disse a Pedro, Tiago e João: "Sinto uma tristeza mortal!" (Mt 26,38).

Quando a tristeza te assalta e ameaça vencer-te; quando aqueles que te são queridos partem no sono da morte; quando a secura e a desolação te acabrunham; quando a tentação te acomete e parece querer dominar-te; quando parece que eu mesmo te abandonei e tu, aflito, te sentes incapaz de suportar uma ferida a mais, então, pensa assim – sou um outro Cristo. Quando pensares que estás mais abandonado, eu estarei te atraindo mais para mim. E, em tal estado, haverá mais estreita união entre mim e ti. Então, tua vida será uma vida de fé. Oferece-te como vítima para fazer o que eu desejo.

Teus sacrifícios são unidos aos meus. São realmente meus, como se eu mesmo os tivesse feito.

É nestas ocasiões que realizo tudo o que falta em tua vida, como tu realizas o que falta para completar minha paixão.

Somos vítimas. Vítimas devemos ser; vítimas triunfantes sobre o pecado!

SÊ SANTO

"... sois concidadãos dos santos..." (Ef 2,19).

Estamos chegando ao fim de nossa conversa. E peço-te que sejas, agora, e em toda tua vida, minha testemunha, minha vítima e meu santo.

Relembra uma e muitas vezes minhas palavras. Não deixes passar um único dia sem voltar a um de nossos encontros, ouvindo-me atentamente, saboreando meus ensinamentos. Enquanto continuares encontrando proveito, deixa que sejam a base de tua meditação diária. Mesmo com intervalos, procura renovar tudo o que te disse.

Faze assim fielmente, e serás, eu te prometo, minha testemunha, ajudando-me a instruir o meu povo desnorteado; minha vítima, ajudando-me a remir almas incontáveis; meu santo, ajudando-me a transformar o mundo, para que sejas como meu Pai deseja.

Observa que não peço que sejas *uma* testemunha, mas *minha* testemunha; não *uma* vítima, mas *minha* vítima; não *um* santo, mas *meu* santo.

Sabes o que quero dizer? Que és único.

Vieste à existência por um ato único de meu amor criador, e continuas a existir, porque cada instante é uma renovação daquele único ato de amor criador.

Criei-te diferente de todos que já existiram, ou mesmo, existirão. Teu corpo é único: os sinais de tua pele, tuas impressões digitais fazem-te diferente de todos os demais.

A razão disto é que eu quis a tua existência; quis que existisses. Igual a ti não existirá jamais outro no mundo. Eu te criei, eu te amei.

Disseste alguma vez de dois namorados: "Não sei o que ela vê nele; não sei o que ele vê nela?". Aquilo que um vê no outro é algo muito individual e desejável, e que os outros não percebem. E é assim que tuas características únicas tornaram-te, individualmente, amável a meus olhos.

Em compensação deste meu amor, quero teu amor individual e particular, que somente tu me podes dar.

E é por isto que quero que sejas a pessoa que desejo, fazendo perfeitamente aquilo que teu estado de vida pede. Desta forma, retribuirás o amor particular e individual com que, desde toda a eternidade, eu te amei.

É por isto também que te falei do sacramento do momento presente, pedindo-te que me oferecesses cada instante com todas as suas circunstâncias.

Este exato momento te é dado para que me sirvas, para que me ames, de um modo particular. Este não é o mesmo para nenhuma outra criatura.

Estás doente? Então, neste momento, quero ser servido e amado por ti. Oferece-me tua enfermidade, pois nenhum outro pode fazê-lo.

És pobre? Ama-me e serve-me em tua pobreza. Quem, a não ser tu mesmo, pode oferecer-me esta pobreza?

Tens uma deficiência física, és inteligente, alegre ou triste, estás lutando contra uma tentação, com um problema, com uma dificuldade? Ama-me com estes meios que te ofereço.

Quero de ti esta unicidade, esta individualidade, esta capacidade de amar-me de uma forma que é totalmente tua, com um amor que tu somente podes ter para comigo.

Convidei-te a seres minha testemunha, minha vítima, meu santo, numa forma pela qual nenhum outro foi jamais ou será.

A cada geração meu Pai dá os santos de que ela necessita. Sê o santo de seus desígnios, unindo tua vontade à minha, cumprindo minha missão, vivendo meus pensamentos, numa forma que é somente tua.

Permitirás que eu habite em ti, cresça em ti e cumpra, no mundo, a missão que o Pai nos confiou?

Tua tarefa é realizar, tão perfeitamente quanto possível, as obrigações do momento presente. Oxalá compreendas que, coisas pequenas, comuns, são o plano de meu Pai a teu respeito. Também em quase toda minha vida mortal, seus desígnios, a meu respeito, foram coisas pequenas e comuns da vida. Ah! Se tivesses aquela paixão por fazer sua vontade como eu a tive!

Quisera que compreendesses que um santo não é mais que um ser humano normal. Maria, José e eu mesmo, como pessoas humanas, éramos semelhantes a ti. Respirávamos, comíamos, pensávamos, falávamos, andávamos, distraíamo-nos e rezávamos, como fazes, tu.

Trabalhávamos para ganhar a vida como o faziam os demais, em volta de nós: José e eu, como carpinteiros, Pedro como pescador, Lucas como médico, e Paulo como fabricante de tendas. Este, mesmo como missionário, ganhava o seu sustento e convidava os outros que o fizessem também.

Faze teus deveres cotidianos, como eles fizeram os seus. Ajuda-me a reformar o mundo.

A criação toda espera pelas coisas que ainda estão para vir, como disse Paulo: "... toda a criação espera ansiosamente a revelação dos filhos de Deus... ser libertada da escravidão da corrupção, em vista da liberdade que é a glória dos filhos de Deus" (Rm 8,19-21).

PARA TRANSFORMAR O MUNDO

> *"O caminho da vida me indicarás, alegria plena à tua direita, para sempre" (Sl 16[15],11).*

Deus criou o mundo e o mundo era bom.

O mal veio ao mundo pelo pecado. E não desaparecerá, enquanto o pecado não desaparecer. Contudo, no início, não foi assim. Nem o pecado é necessário. Portanto, não é necessário que os homens sejam escravos do pecado. Já leste sobre a fraqueza de meus apóstolos. Fugiram, quando os guardas me prenderam no Getsêmani. Mas quando o Espírito Santo desceu sobre eles, no dia de Pentecostes, como se tornaram corajosos! É o que acontece quando o Todo-Poderoso derrama sua graça, em abundância, para transformar frágeis criaturas mortais em minhas testemunhas, em minhas vítimas, em meus santos.

Não há senão um remédio para o mal: a santificação. A bondade, a paz, a prosperidade, a felicidade não são objeto de lei humana. São resultado da obediência às minhas leis. O Estado pode fazer com que haja uma atmosfera em que esta obediência prospere. Mas somente Deus pode dar a graça, e os indivíduos, somente eles, podem colaborar com ela.

Sê, portanto, meu santo. Ajuda-me a transformar o mundo. Ajuda-me a levar a paz e a alegria a todas as pessoas de boa vontade. Desejo ardentemente um mundo livre do mal, um mundo de paz e de alegria.

Criei o homem para a felicidade. O que é a criação, o que é a santidade senão felicidade; felicidade no plano natural, felicidade no plano sobrenatural – uma efusão da alegria infinita do Todo-Poderoso?

Semeia minha paz em tua família, em tua comunidade. Ainda que o mundo te ofereça a exaltação do egoísmo e da sensualidade, ainda que despreze a justiça e a caridade, ainda que zombe do pensamento de trabalhar e de viver por mim, resiste, persevera na decisão de me ajudar a transformar o mundo.

Tua resistência será alegre. Mostrarás, com tua própria vida, que a felicidade resulta da bondade. Mostrarás que há verdadeira alegria em viver como um outro Cristo.

Busca a alegria. Alegra-te com a luz do Sol que te aquece. Alegra-te com o verde dos campos, com os frutos maduros do pomar, com a chuva refrescante, com a pureza do ar. Alegra-te pelos bons livros, pelos bons pensamentos, pelos bons amigos. Alegra-te e sê feliz na minha paz. Sê um missionário da paz, uma força positiva em favor da tranquilidade, da harmonia, do amor.

Amas todas as pessoas? Se, de fato, és um outro Cristo, deverás demonstrar amor a todas, fazendo o que te é possível por incorporá-las em meu Corpo Místico e por tornar a união delas comigo mais estreita e durável.

Conduze-as a mim, por meio do teu bom humor, de tua prontidão em ajudar, de tua generosidade e das obras de misericórdia espirituais e corporais.

Fazendo isto, estarás semeando alegria e paz entre os membros de tua família, de tua vizinhança, de tua comunidade. E eles, por sua vez, irradiarão paz e alegria sobre a nação e sobre o mundo. Todo aquele que for auxiliado por ti a se tornar mais semelhante a mim, será também um semeador de alegria.

Que vida maravilhosa esta à qual te convido! As coisas comuns, vistas nesta perspectiva, tornam-se maravilhosas, preciosas, portadoras de júbilo. Como pode uma ação ser desprezada, quando pode ser o preço de uma alma humana, a adoração do Todo-Poderoso, a ação de graças digna do Altíssimo?

Sendo um outro Cristo, tua glória é imensamente maior do que qualquer glória terrena. Estás misticamente identificado comigo. És amado por meu Pai como eu o sou. Falarás comigo como o teu Deus, e receberás toda a minha atenção. Que dignidade a tua: a de seres uma imagem viva de mim mesmo!

Procede como te ensinei e, a seu tempo, mesmo aqui na terra, começarás a experimentar o que deverá ser a felicidade do céu, à qual estás destinado. Desde toda eternidade eu previ esta tua particular união comigo. E vi que seria bom. Possuir-me-ás na medida mais plena que te for possível. O conhecimento que terás de mim não será mais como agora, só pela fé, velado. O mesmo se diga do amor.

Banhado pela luz da Trindade, terás a alegria de pertencer completamente a teu Deus, de ser totalmente amado por ele e de, tu mesmo, amá-lo totalmente. Verás a divindade, a infinita beleza, a infinita verdade, o amor infinito, face a face. Conhecendo a Deus, amá-lo-ás ainda mais. Amando-o mais, conhecê-lo-ás ainda melhor. E formar-se-á uma cadeia infinita de conhecimento e amor, que satisfará todos os teus desejos.

Este é teu destino: felicidade completa em nossa união, alegria completa na posse pessoal de Deus, e em seres possuído totalmente por ele.

Olhos humanos jamais viram, ouvidos humanos jamais ouviram nem o coração do homem jamais suspeitou as coisas admiráveis que Deus preparou para ti, sim, para ti, justamente porque és um outro Cristo e porque eu sou o teu Deus.

Vem, bem-aventurado! Prepara-te para entrar na felicidade eterna!

SUMÁRIO

PREFÁCIO..5

ORAÇÃO SACERDOTAL DE JESUS...9

PARTE I
O chamado

1. FINALIDADE DA VIDA..13
   Na presença de Cristo...13
   Cristo, fonte de felicidade..16
   Cristo, santificador...19

2. ABANDONO..23
   Confiança em Cristo...23
   Motivos de confiança..26
   Infância espiritual..29
   Cristo nos ajuda..32
   Santifica cada momento...34

3. SÊ AQUELE QUE DESEJO QUE SEJAS.................................39
   Aceita tua posição na vida...39
   Procura as virtudes de tua vocação..42
   No teu trabalho cotidiano..45
   A pureza de intenção..49
   Copiando o retrato de Cristo..51
   Seguir a Cristo..55

4. CRISTO EM NÓS...59
   O Corpo Místico de Cristo..59
   A dignidade do cristão..62
   Cristo nos manda amar...65
   Cristo nos outros...68
   Cristo em mim mesmo...72

PARTE II
Os meios

5. DESPRENDIMENTO 77
   Domínio de si 77
   O segredo: apegar-se a Cristo 81
   O espírito de pobreza 83
   O bom uso dos bens 86
   A esmola da viúva 89
   Cristo nos quer totalmente 92

6. A VIRTUDE 97
   A humildade 97
   Cristo, nosso modelo 100
   Progresso na humildade 103
   O segredo da paz 106
   A paciência 110
   Paciência consigo mesmo 113
   Dois princípios de paciência 116

7. A ORAÇÃO 119
   Necessidade da oração 119
   Como orar 122
   Oração constante 125
   A meditação 129
   Progresso na oração mental 132
   A aridez na oração 136
   Gosto antecipado do céu 140

8. FUGA DO PECADO 145
   O que é o pecado? 145
   A fonte de todo mal 147
   Getsêmani 150
   A traição 153
   A flagelação 155
   Jesus carrega a sua cruz 159
   A crucifixão 161
   As lições da paixão 164

9. A MISSA E A EUCARISTIA 167
   A missa 167
   Oferecer a missa 170
   A humildade da Eucaristia 175
   O amor da Eucaristia 178
   A colaboração com Cristo 181
   Cristo vive naquele que comunga 184

PARTE III
O fim

10. A META FINAL 191
    Uma testemunha de Cristo...191
    Testemunha pelo exemplo 194
    Um testemunho sacerdotal 196
    Uma vítima sacerdotal.. 200
    Vítimas vitoriosas sobre o pecado..................................... 203
    Sê santo 206
    Para transformar o mundo 209

Rua Dona Inácia Uchoa, 62
04110-020 – São Paulo – SP (Brasil)
Tel.: (11) 2125-3500
paulinas.com.br – editora@paulinas.com.br
Telemarketing e SAC: 0800-7010081